François Rabelais

Gargantua
Pantagruel
Tiers Livre
Quart Livre
Cinquième Livre

Abrégé par
Bénédicte Monat-Bouhanik

Classiques abrégés
l'école des loisirs
11, rue de Sèvres, Paris 6e

Loi n° 49.956 du 16 juillet 1949 sur les publications
destinées à la jeunesse : janvier 2006
Dépôt légal : décembre 2016
Imprimé en France par CPI Bussière
à Saint-Amand-Montrond
N° d'édit. : 5. N° d'impr. : 2027231.

ISBN 978-2-211-07472-8

LA

Plaiſante, &

IOYEVSE

hiſtoyre du grand Geant Gargantua.

Prochainement reueue, & de beaucoup augmentée par l'Autheur meſme.

A Valence,

Chés Claude La Ville.

1547.

PRÉFACE

Gargantua et Pantagruel, que vous rencontrerez dans ces pages, sont des héros « hors norme », car, avant tout, ce sont des géants issus de l'imagination féconde de leur père créateur, Rabelais. Il avait en effet besoin de gigantisme, à l'époque où il vivait, pour mener à bien l'entreprise littéraire qu'il méditait.

Son œuvre est extrêmement longue, à la mesure de ses héros, et se fait tour à tour roman d'aventures, épopée, réflexion philosophique. Elle est atypique et atemporelle : aucun écrivain n'a jamais pu atteindre cette profusion, cet humour, cette finesse, ce rythme vivant, cette invention joyeuse, cette compilation de savoirs qui font de Rabelais une exception (un « monstre » pour certains) dans la littérature française.

L'érudition qui sous-tend le texte est extraordinaire, mesurable uniquement à l'aune du principe humaniste de la connaissance. Rabelais maîtrise le latin et connaît le grec, qu'il a appris au péril de sa vie (à l'époque, la faculté de Théologie avait interdit à quiconque d'apprendre le grec, langue considérée comme diabolique !). Il connaît bien sûr la médecine, qu'il pratiqua ; il connaît l'art de la navigation, de la guerre, de la politique, de l'éducation, il « sait » le droit, et se montre curieux de toutes les nouvelles techniques découvertes à la Renaissance.

Rabelais entraîne donc ses personnages dans des aventures qui, bien qu'extravagantes, sont essentiellement ancrées dans le réel de l'époque. Elles s'appuient sur des lieux existants (même si d'autres sont imaginaires), sur une configuration sociale identique à celles du Moyen Âge et de la Renaissance et sur des personnages typiques, que Rabelais n'hésite pas à faire parler « comme dans la vie ». Et c'est peut-être là le premier principe d'innovation de ces cinq livres, qui introduisent le petit peuple (la « France d'en bas ») dans la littérature et, surtout, lui donnent la parole, le font parler « naturellement ».

L'édition que vous avez entre les mains est abrégée : autrement dit, il nous a fallu faire des choix. Cela ne fut pas sans peine. Car, chez Rabelais, tout est drôle, tout est vie, tout est matière. Nous nous sommes donc efforcé de restituer la verdeur et la force du texte dans une graphie modernisée, et de garder l'essentiel des aventures de Gargantua et de Pantagruel, y compris ce *Cinquième Livre* à l'authenticité contestée, mais qui permet de connaître enfin l'oracle de la Dive Bouteille.

Puisse cette édition vous inviter à lire un jour – qui sait ? – l'œuvre intégrale en moyen français[1] ! Mais chut ! J'entends Alcofribas Nasier approcher : laissons-le s'expliquer lui-même.

BÉNÉDICTE MONAT-BOUHANIK

1. Sur ce point, nous aimerions préciser que, chronologiquement, *Pantagruel* a été écrit avant *Gargantua*. Nous avons choisi cependant de les placer (selon l'usage) dans l'ordre de la narration, puisque Gargantua est le père de Pantagruel.

Gargantua.

LA VIE TRÈS HORRIFIQUE DU GRAND GARGANTUA, PÈRE DE PANTAGRUEL

Jadis composée par M. Alcofribas[1],
abstracteur de Quintessence
Livre plein de Pantagruélisme

1. Alcofribas Nasier, pseudonyme et anagramme de François Rabelais.

Aux Lecteurs

Amis Lecteurs, qui ce livre lisez,
Dépouillez-vous de toute affection ;
Et, le lisant, ne vous scandalisez,
Il ne contient mal ni infection.
Mieux est de ris que de larmes écrire
Parce que rire est le propre de l'homme.

VIVEZ JOYEUX !

Prologue de *Gargantua*

Buveurs très illustres et vous vérolés très précieux (car c'est à vous et non à d'autres que sont dédiés mes écrits), Alcibiade, dans un dialogue de Platon intitulé *Le Banquet*, louant son précepteur Socrate, prince des philosophes, dit, entre autres, qu'il est semblable aux silènes. Les silènes étaient jadis de petites boîtes, telles que nous en voyons aujourd'hui dans les boutiques des apothicaires, peintes de figures joyeuses et frivoles : harpies, satyres, oisons bridés[1], lièvres cornus, canes bâtées, boucs volants, cerfs limoniers et autres peintures de ce genre faites à plaisir pour exciter le monde à rire. Comme fut Silène, le maître du bon Bacchus. Mais au-dedans, l'on réservait les fines drogues : baume, ambre gris, musc, pierreries, et autres choses précieuses. Il disait que Socrate leur ressemblait parce que, le voyant au-dehors et le jugeant sur son apparence extérieure vous n'en

1. Des oies auxquelles on passait une plume dans le bec pour les empêcher de traverser les clôtures. Par extension, l'expression désigne des individus sottement dociles.

auriez pas donné une pelure d'oignon, tant il était laid de corps et ridicule en son maintien : le nez pointu, le regard d'un taureau, le visage d'un fou, simple de mœurs, rustique dans ses vêtements, pauvre de fortune, infortuné en femmes, inepte à tous les emplois de la république, toujours riant, toujours buvant avec tout un chacun, toujours se moquant, toujours dissimulant son divin savoir. Mais, en ouvrant cette boîte, vous y auriez trouvé une céleste et inappréciable drogue : intelligence plus qu'humaine, vertu merveilleuse, courage invincible, sobriété sans pareille, assurance parfaite et détachement incroyable de tout ce pour quoi les humains veillent, courent, travaillent, naviguent et bataillent tant.

À quel propos, à votre avis, tend ce prélude ? Vous, mes bons disciples, en lisant les joyeux titres de certains livres de notre invention, comme *Gargantua*, *Pantagruel*, *La Dignité des braguettes*, etc., jugez trop facilement n'y trouver que moqueries, folâtreries et menteries joyeuses, vu que l'enseigne extérieure (c'est le titre) est communément interprétée en dérision et moquerie. Mais il ne faut pas estimer les œuvres des humains avec une telle légèreté, car vous-mêmes dites que l'habit ne fait point le moine. C'est pourquoi il faut ouvrir le livre. Vous constaterez alors que la drogue contenue dedans est bien d'autre valeur que ne le promettait la boîte. C'est-à-dire que les matières ici traitées ne sont pas si folâtres que pouvait le laisser croire le titre.

Vîtes-vous jamais un chien tombant sur un os à moelle ? C'est, comme dit Platon, la bête du monde la plus philosophe. Si vous l'avez vu, vous avez pu noter avec quelle dévotion il le guette, avec quel soin il le garde, avec quelle ferveur il le tient, avec quelle prudence il l'entame, avec quelle affection il le brise et avec quelle diligence il le suce. Qui le pousse à faire ainsi ? Quel est l'espoir de son étude ? À quel bien prétend-il ? À rien de plus qu'un peu de moelle. À son exemple, ayez la sagesse de fleurer, sentir et estimer ces beaux livres. Puis, par curieuse leçon et méditation fréquente, de rompre l'os et sucer la substantifique moelle. À cette lecture, vous trouverez un bien autre goût et une doctrine plus cachée qui vous révélera de très hauts sacrements et mystères horrifiques, tant en ce qui concerne notre religion que notre état politique et notre vie économique.

À la composition de ce livre seigneurial, je ne perdis ni n'employai jamais plus de temps que celui que je consacrais à ma réfection corporelle, à savoir à boire et à manger. Aussi est-ce le moment d'écrire ces hautes matières et sciences profondes, comme savaient bien le faire Homère, modèle de tous les philologues, et Ennius, père des poètes latins, ainsi qu'en témoigne Horace, quoiqu'un malotru ait dit que ses vers sentaient plus le vin que l'huile. Un tirelupin en dira autant de mes livres, mais bren[1] pour lui. L'odeur du vin est, ô combien, plus friande, riante, céleste et délicieuse que celle de l'huile.

Pour moi, c'est un honneur et une gloire d'avoir une réputation de bon compagnon et d'ami du plaisir, et ce titre me vaut d'être bienvenu en toutes bonnes compagnies de Pantagruélistes. Donc, réjouissez-vous, mes amours, et lisez gaiement le reste.

1. Bren : exclamation de mépris, de colère = « merde ».

De la généalogie de Gargantua

Je vous renvoie à la grande chronique pantagruéline pour connaître la généalogie d'où nous est venu Gargantua. En celle-ci vous entendrez plus au long comment les géants naquirent en ce monde, et comment, de ceux-ci, par lignes directes, naquit Gargantua, père de Pantagruel.

Plût à Dieu que chacun sût aussi certainement sa généalogie, depuis l'arche de Noé jusqu'à aujourd'hui. Je pense que plusieurs sont aujourd'hui empereurs, rois, ducs, princes et papes ici-bas, qui sont descendus de quelques porteurs de rogatons et de cotrets[1]. Comme, au rebours, plusieurs gueux de l'hospice, souffreteux et misérables, sont descendus du sang et de la lignée de grands rois et empereurs.

Et, pour vous donner mon exemple, à moi qui vous parle, je crois que je suis descendu de quelque riche roi ou prince au temps jadis. Car jamais on ne vit homme qui eût plus grande envie

1. Petits fagots de bois sec.

d'être roi et riche que moi afin de faire grande chère, de ne pas travailler, et de bien enrichir mes amis et tous les gens de bien et de savoir.

Retournons à nos moutons : je vous disais que, par un don souverain des cieux, nous a été conservée la généalogie de Gargantua, plus entière que nulle autre.

Comment Gargantua fut onze mois porté dans le ventre de sa mère

Grandgousier[1] était un bon compagnon en son temps, aimant à boire plus que quiconque, et mangeait volontiers salé. En son âge viril, il épousa Gargamelle[2], fille du roi des Papillons, un beau tendron et de bonne trogne. Ils faisaient souvent ensemble la bête à deux dos, se frottant joyeusement le lard, si bien qu'elle tomba grosse d'un beau fils et le porta jusqu'au onzième mois.

1. Grandgousier = « grand gosier ».
2. Gargamelle = « gargatte » (gorge) en vieux français.

Comment Gargamelle, étant grosse de Gargantua, mangea grande platée de tripes

Voici comment Gargamelle enfanta. Et, si vous ne le croyez pas, que le fondement vous échappe ! Son fondement à elle lui échappa un après-midi, le troisième jour de février, pour trop avoir mangé de gaudebillaux. Les gaudebillaux sont de grasses tripes de bœufs. De ces bœufs gras, on en avait fait tuer trois cent soixante-sept mille et quatorze, pour qu'ils soient salés le mardi gras, et pour, au début des repas, en faire bombance de salaisons : cela fait mieux descendre le vin.

Les tripes furent copieuses, comme je vous l'ai dit, et si bonnes que chacun s'en léchait les doigts. Le bonhomme Grandgousier y prenait un plaisir bien grand. Il disait toutefois à sa femme qu'elle en mangeât le moins possible, vu qu'elle approchait du terme, et que cette tripaille n'était pas viande très louable. Nonobstant ces remontrances, elle en mangea seize muids, deux tonneaux et six potées. Ô la belle matière fécale qui devait boursoufler en elle !

Après dîner, tous allèrent pêle-mêle à la Saulaie, et là, sur l'herbe drue, dansèrent au son des joyeux flageolets et douces cornemuses, si joyeusement que c'était un passe-temps céleste de les voir ainsi se rigoler.

Comment Gargantua naquit de façon bien étrange

Gargamelle commença à se porter mal du bas; Grandgousier se leva et la réconforta honnêtement, pensant que c'était le mal d'enfant: il lui fallait prendre courage pour l'arrivée de son poupon, et même si la douleur la mettait un peu en fâcherie, toutefois celle-ci serait brève, et la joie qui bientôt succéderait lui enlèverait tout cet ennui, si bien qu'il ne lui en resterait que la souvenance.

– Courage de brebis, disait-il, déchargez-vous de celui-ci, et faisons-en bientôt un autre.

– Ah, dit-elle, vous en parlez à votre aise, vous autres hommes! Bien, de par Dieu, je ferai un effort, puisqu'il vous plaît.

Peu de temps après, elle commença à soupirer, lamenter et crier. Soudain vinrent un tas de sages-femmes de tous côtés. Et, la tâtant par le bas, elles trouvèrent quelques peaux d'assez mauvais goût et pensèrent que c'était l'enfant; mais c'était le fondement qui lui échappait, par suite du ramollissement du gros intestin, que vous appelez «boyau culier», pour avoir trop mangé de tripes, comme nous l'avons déclaré ci-dessus.

Donc, une vieille de la compagnie, laquelle avait réputation d'être savante en grande médecine, lui fit un restrinctif si horrible que toutes ses membranes en furent resserrées et obstruées, si bien qu'à grand-peine avec les dents vous les eussiez élargies, ce qui est chose bien horrible à penser.

Par cet inconvénient, furent relâchés les cotylédons de la matrice, par lesquels sursauta l'enfant qui entra dans la veine creuse, puis, grimpant par le diaphragme jusqu'au-dessus des épaules, où ladite veine se sépare en deux, il prit son chemin à gauche et sortit par l'oreille gauche. Dès qu'il fut né, il ne cria pas, comme les autres enfants : *ouin ! ouin ! ouin !*, mais, à haute voix, il s'écria : « À boire ! À boire ! À boire ! », comme s'il invitait tout le monde à boire. Je me doute que vous ne croyez assurément pas à cette étrange nativité. Si vous ne le croyez pas, je ne m'en soucie guère, mais un homme de bien, un homme de bon sens croit toujours ce qu'on lui dit, et qu'il trouve par écrit.

Bacchus ne fut-il pas engendré par la cuisse de Jupiter ? Minerve ne naquit-elle pas du cerveau par l'oreille de Jupiter ? Castor et Pollux, de la coquille d'un œuf pondu et couvé par Léda ? Mais vous seriez bien davantage ébahis si je vous exposais présentement tout le chapitre de Pline, dans lequel il parle des enfantements étranges et contre nature. Et toutefois, je ne suis pas aussi parfait menteur qu'il l'a été. Lisez le septième livre de son *Histoire naturelle*, chapitre III, et ne me tarabustez plus.

Comment son nom fut donné à Gargantua, et comment il buvait le vin

Le bonhomme Grandgousier, buvant et se rigolant avec les autres, entendit le cri horrible que son fils avait fait en venant au monde, quand il bramait en demandant : « À boire ! À boire ! À boire ! » ; donc il dit : « Que grand tu as ! » (sous-entendu : le gosier). Ce qu'entendant, les assistants dirent que vraiment il devait avoir, pour cette raison, le nom de Gargantua, puisque telle avait été la première parole de son père à sa naissance. À quoi son père consentit, et cela plut beaucoup à sa mère. Pour l'apaiser, ils lui donnèrent à boire à tire-larigot, et il fut porté sur les fonts, et baptisé, selon la coutume des bons chrétiens.

On lui donna dix-sept mille neuf cent treize vaches pour l'allaiter quotidiennement, car trouver une nourrice ayant assez de lait n'était pas possible dans tout le pays, étant donné la grande quantité de lait requis pour l'alimenter, même si certains docteurs ont affirmé que sa mère l'allaita et qu'elle pouvait traire de ses mamelles quatorze cent deux pipes et neuf potées de lait à chaque fois, ce qui n'est pas vraisemblable. Et la proposition a été déclarée mamellement scandaleuse par la Sorbonne, offensante pour les oreilles sensibles et sentant de loin l'hérésie.

Il vécut ainsi jusqu'à un an et dix mois. Alors, sur le conseil des médecins, on commença à le porter, et fut faite une belle charrette à bœufs. Dedans, on le promenait par-ci par-là, joyeusement; et il faisait bon le voir, car il avait bonne trogne et presque dix-huit mentons, et il ne criait que bien peu, mais il se conchiait à toute heure car il était merveilleusement flegmatique des fesses, tant de sa complexion naturelle que de la disposition accidentelle qui lui était venue de trop boire de purée septembrale[1]. Et il n'en buvait jamais sans cause. Car s'il advenait qu'il fût contrarié, courroucé, fâché ou marri, s'il trépignait, s'il pleurait, s'il criait, on lui apportait à boire: cela le rendait à son naturel, et soudain il redevenait silencieux et joyeux.

Une de ses gouvernantes m'a dit, jurant sa foi, qu'il en était tant coutumier qu'au seul son des pintes et flacons, il entrait en extase, comme s'il goûtait les joies du paradis. De sorte qu'elles, considérant cette complexion divine, pour le

1. Cette «purée de septembre», mois des vendanges, est, bien entendu, le vin.

réjouir au matin, faisaient devant lui sonner des verres avec un couteau, ou des flacons avec leur bouchons. À ce son, il s'égayait, il tressaillait et se berçait lui-même en dodelinant de la tête et barytonant du cul.

De l'adolescence de Gargantua

De trois à cinq ans, Gargantua fut nourri et éduqué en toute discipline convenable par le commandement de son père, et il passa ce temps comme les petits enfants du pays, à savoir : à boire, manger et dormir ; à manger, dormir et boire ; à dormir, boire et manger.

Il se vautrait toujours dans la fange, se mascarait le nez, se noircissait le visage, éculait ses souliers, bayait souvent aux mouches et courait volontiers après les papillons, dont son père avait l'empire. Il pissait sur ses souliers, il chiait dans sa chemise, il se mouchait dans ses manches, il morvait dans sa soupe, et patrouillait partout et buvait dans sa pantoufle. Il aiguisait ses dents avec un sabot, lavait ses mains dans le potage, se peignait d'un gobelet, mordait en riant, riait en mordant, pétait de graisse, pissait contre le soleil, faisait le sucré, disait la patenôtre du singe[1], retournait à ses

1. « Dire la patenôtre du singe » : murmurer entre ses dents, comme fait le singe avec ses babines.

moutons, mettait la charrette avant les bœufs, se grattait où ça ne le démangeait point, tirait les vers du nez, trop embrassait et mal étreignait, mangeait son pain blanc le premier, passait du coq à l'âne, gardait la lune contre les loups. Les petits chiens de son père mangeaient dans son écuelle, et lui de même mangeait avec eux. Il leur mordait les oreilles, ils lui graffignaient le nez ; il leur soufflait au cul, ils lui léchaient les badigoinces[1].

Comment Grandgousier reconnut l'esprit merveilleux de Gargantua à l'invention d'un torche-cul

Vers la fin de la cinquième année, Grandgousier, revenant vainqueur des Canariens, visita son fils Gargantua. Là, il fut réjoui, comme un père peut l'être, en voyant un enfant tel que le sien. L'embrassant et le prenant dans ses bras, il l'interrogeait sur de petites questions puériles de toutes sortes. Et il but avec lui et ses gouvernantes, auxquelles il demanda si elles l'avaient tenu propre et net. À cela, Gargantua répondit qu'il avait tant fait que, dans tout le pays, il n'y avait garçon plus net que lui.

1. Les babines.

– Comment cela ? dit Grandgousier.

– J'ai, répondit Gargantua, à la suite d'une longue et curieuse expérience, inventé un moyen de me torcher le cul, le plus seigneurial, le plus excellent qui fût jamais vu.

– Lequel ? dit Grandgousier.

– Tel que je vais vous le raconter. Je me torchai une fois du petit masque de velours d'une demoiselle, et le trouvai bon, car la douceur de sa soie me causait au fondement une volupté bien grande. Puis, fientant derrière un buisson, je trouvai un chat de mars[1] ; je m'en torchai, mais ses griffes m'exulcérèrent tout le périnée. Je m'en guéris le lendemain, en me torchant des gants de ma mère, bien parfumés de benjoin. Puis je me torchai de sauge, de fenouil, de marjolaine, de roses, de feuilles de courges, de laitues et de feuilles d'épinards. Puis je me torchai avec les draps, la couverture, les rideaux, un coussin, un tapis, une nappe, une serviette, un mouchoir, un peignoir.

– Vraiment, dit Grandgousier, mais quel torche-cul trouvas-tu meilleur ?

– J'y étais, dit Gargantua, et bientôt vous le saurez. Je me torchai de foin, de paille, de laine, de papier, d'un couvre-chef, d'un oreiller, d'une

1. Une martre.

pantoufle, d'un panier – ô le malplaisant torche-cul ! –, puis d'un chapeau. Puis je me torchai d'une poule, d'un coq, d'un lièvre, d'un pigeon, d'un cormoran, d'une serviette d'avocat. Mais, pour conclure, je dis et maintiens qu'il n'y a tel torche-cul qu'un oison bien duveté. Croyez-m'en sur mon honneur. Car vous sentez au trou du cul une volupté mirifique, tant par la douceur de ce duvet que par la chaleur tempérée de l'oison. Ne croyez pas que la béatitude des héros et demi-dieux, aux champs Élysées, soit dans leur ambroisie ou leur nectar. Elle vient, selon mon opinion, de ce qu'ils se torchent le cul d'un oison.

Comment Gargantua fut instruit par un sophiste ès lettres latines

Lorsqu'il eut entendu ces propos, le bonhomme Grandgousier fut ravi par le bon sens et la merveilleuse intelligence de son fils Gargantua. Il dit à ses gouvernantes :

– Je vous dis que, par cette seule conversation que je viens d'avoir devant vous avec mon fils, je vois que son intelligence participe de quelque divinité. Et il parviendra à un degré souverain de sagesse s'il est bien éduqué. C'est pourquoi je le veux confier à quelque homme savant, qui l'instruira selon sa capacité.

Pour cela, on lui fit connaître un grand docteur en théologie, nommé maître Thubal Holopherne[1], qui lui apprit si bien son abécédaire, qu'il le disait par cœur à l'envers. Pour cela, il mit cinq ans et trois mois. Notez bien que, pendant ce temps, il lui apprenait à écrire en gothique et écrivait tous ses livres, car l'imprimerie n'était pas encore en usage. Puis il lui lut le *De modis significandi*, avec les commentaires de Hurtebise, Tropditeux, Jehan le Veau et d'un tas d'autres ; cela l'occupa plus de dix-huit ans et onze mois. Puis il lui lut le calendrier, où il fut bien seize ans et deux mois, lorsque ledit précepteur mourut.

Comment Gargantua fut mis sous d'autres pédagogues

Son père s'aperçut que, vraiment, il étudiait très bien et y mettait tout son temps, mais que, toutefois, il n'en profitait en rien. Et, qui pis est, en devenait fou, niais, tout rêveur et rassoté[2]. De

1. Dans la Bible, ce cruel général de Nabuchodonosor est séduit et décapité par Judith. Maître Thubal Holopherne, porteur d'un enseignement inutile, serait donc le type même de l'ennemi à abattre.

2. Sot.

quoi Grandgousier se plaignit à don Philippe des Marais, vice-roi de Papeligosse.

Au soir, en soupant, ledit des Marais introduisit un sien jeune page nommé Eudémon[1], si bien peigné, si bien tiré, si bien épousseté, si honnête en son maintien qu'il ressemblait plus à quelque petit angelot qu'à un homme. Eudémon, demandant la permission de ce faire au vice-roi son maître, le bonnet au poing, la face ouverte, la bouche vermeille, les yeux assurés et le regard fixé sur Gargantua avec une modestie juvénile, se leva et commença de le louer et magnifier, premièrement sur sa vertu et ses bonnes mœurs, deuxièmement sur son savoir, troisièmement sur sa noblesse, quatrièmement sur sa beauté corporelle.

Grandgousier consulta avec le vice-roi quel précepteur on pourrait donner à Gargantua. Il fut décidé entre eux qu'à cet emploi on nommerait Ponocrate[2], pédagogue d'Eudémon, et que tous ensemble iraient à Paris pour connaître les études des jouvenceaux de France de ce temps-là.

Le lendemain, après boire (comme vous le supposez bien), Gargantua partit avec son précepteur Ponocrate et ses gens ; Eudémon, le jeune page,

1. Eudémon = « bon génie », par opposition au mauvais génie, le « cacodémon ».

2. Du grec *ponos*, « la peine », et *kratein*, « dominer » : il s'agit d'un personnage qui règne sur la peine, le labeur, de ses élèves.

partit avec eux. Ils arrivèrent à Paris, s'y rafraîchirent deux ou trois jours, y faisant joyeuse chère et se renseignant sur les savants qui étaient alors en ville, et quel vin on y buvait.

Comment Gargantua paya sa bienvenue aux Parisiens…

Quelques jours après qu'ils se furent rafraîchis, Gargantua visita la ville et fut vu de tout le monde avec grande admiration. Car le peuple de Paris est si sot, si badaud, si bête de nature, qu'un bateleur, un porteur de rogatons, un mulet avec ses grelots assemblera plus de gens que ne le ferait un bon prédicateur évangélique.

Ils le poursuivirent en l'importunant tant qu'il fut contraint de se reposer sur les tours de l'église Notre-Dame ; de là, voyant tant de gens autour de lui, il dit clairement :

– Je crois que ces maroufles[1] veulent que je leur paie ici ma bienvenue. Ils ont raison. Je m'en vais leur donner à boire, mais ce ne sera que PAR RIS.

Alors, en souriant, il détacha sa belle braguette et les compissa si aigrement qu'il en noya deux

1. Personnages grossiers et malhonnêtes.

cent soixante mille quatre cent dix-huit, sans compter les femmes et les petits enfants.

Quelques-uns échappèrent à ce pissefort, et quand ils furent au plus haut de l'Université, suant, toussant, crachant et hors d'haleine, ils se mirent à jurer :

– La merdé ! Pro cab de bious ! Pote de Christo ! Pasque Dieu ! Par sainte Andouille ! Par saint Foutin l'apôtre ! Par saint Vit, nous sommes baignés par ris !

C'est ainsi que la ville fut nommée Paris, auparavant on l'appelait Lutèce.

L'étude de Gargantua selon la discipline d'un précepteur sophiste

Cela fait, Gargantua s'abandonna, pour ses études, entièrement à Ponocrate. Mais celui-ci, pour débuter, lui ordonna de faire ainsi qu'il en avait l'habitude, afin de savoir comment, pendant si longtemps, son vieux précepteur l'avait rendu si fat, niais et ignorant.

Ordinairement, il s'éveillait entre huit et neuf heures. Puis il gambadait, piaffait et paillardait sur son lit quelque temps. Ensuite il s'habillait selon la saison ; après, se peignait avec le peigne d'Almain, c'est-à-dire avec les quatre doigts et le pouce ; car ses précepteurs disaient que c'était perdre son temps en ce monde que se peigner et se laver.

Puis il fientait, pissait, rotait, pétait, bâillait, crachait, toussait, sanglotait, éternuait, se morvait, et déjeunait ensuite de belles tripes frites, belles carbonnades, beaux jambons et force soupes de primeurs. Après avoir ainsi bien déjeuné, il allait à l'église, il y entendait vingt-six ou trente messes ; il étudiait ensuite pendant une méchante demi-heure, les yeux fixés sur son livre ; mais (comme le dit le comique[1]) ses pensées étaient à la cuisine.

Après avoir pissé un plein urinal, il se mettait à table ; il commençait son repas par quelques douzaines de jambons, de langues de bœuf fumées, d'andouilles, puis il buvait un horrifique trait de vin blanc pour lui soulager les rognons. Il cessait de manger quand le ventre lui tirait. Pour ce qui est de boire, il n'avait ni fin ni règle. Il disait que les bornes du boire étaient quand le liège de vos pantoufles enflait d'un demi-pied.

1. Térence, poète comique latin très apprécié à la Renaissance.

Les jeux de Gargantua

Tout en marmonnant lourdement un bout de prières, il se curait les dents avec un pied de porc et devisait joyeusement avec ses gens. Ensuite, on installait le tapis sur lequel on déployait force cartes, dés et échiquiers. Là, il jouait :

À la malheureuse,
À passe-dix,
Aux trois cents,
Au renard,
Aux vaches,
Au lansquenet,
Au cocu,
À qui fait l'un fait l'autre,
Au trictrac,
Aux dames,
À qui perd gagne,
À compère prêtez-moi votre sac,
Au moine,
À pet en gueule,
À colin-maillard,
À la grue,
Aux chiquenaudes.

Après avoir bien joué, il convenait de boire quelque peu, et, soudain, après banqueter, s'étendre et dormir sur un beau banc ou au milieu du lit deux ou trois heures. Lorsqu'il s'éveillait, on lui apportait du vin frais, et il buvait plus que jamais.

Comment Gargantua fut éduqué par Ponocrate en telle discipline qu'il ne perdait pas une heure du jour

Quand Ponocrate connut la vicieuse manière de vivre de Gargantua, il décida de l'instruire autrement. Il supplia un savant médecin de son temps, maître Théodore, d'étudier s'il était possible de remettre Gargantua en meilleure voie. Celui-ci le purgea canoniquement avec de l'ellébore et, par ce médicament, le nettoya de la perverse habitude de son cerveau. Par ce moyen, Ponocrate lui fit oublier tout ce qu'il avait appris de son ancien précepteur.

Gargantua s'éveillait donc vers quatre heures du matin. Pendant qu'on le frottait, lui était lue quelque page de la divine Écriture ; à cette tâche était commis un jeune page nommé Anagnostes[1]. Puis il allait aux lieux secrets faire excrétion des digestions naturelles. Là, son précepteur lui répétait ce qui avait été lu, en lui expliquant les points

1. Dans l'Église primitive, on nommait « anagnostes » les lecteurs chargés de faire la lecture d'un fragment des Saintes Écritures.

plus obscurs et difficiles. Il était habillé, peigné, coiffé, habillé et parfumé ; durant ce temps, on lui rappelait les leçons du jour d'avant. Pendant trois bonnes heures, ensuite, on lui faisait la lecture. Alors ils sortaient, conférant toujours du sujet de cette lecture, et jouaient à la balle, à la paume, s'exerçant galamment le corps comme ils avaient exercé leurs âmes. Entre-temps, M. l'Appétit venait et ils se mettaient à table au bon moment. Au début du repas, on lui lisait quelque histoire plaisante des anciennes prouesses jusqu'à ce qu'il eût pris son vin. Puis (si bon semblait) on continuait la lecture ou commençait à deviser joyeusement ensemble, parlant de la vertu, propriété, efficacité et nature de tout ce qui leur était servi à table. Après que Gargantua se fut curé les dents avec un tronc de lentisque, ils rendaient grâces à Dieu par quelques beaux cantiques. Cela fait, on apportait des cartes, non pour jouer, mais pour y apprendre mille petites gentillesses et inventions nouvelles, toutes inspirées de l'arithmétique. Cette heure ainsi employée, la digestion parachevée, il se purgeait des excréments naturels, puis se remettait à son étude principale pendant trois heures ou davantage. Ils sortaient ensuite de leur logis. Avec eux était un jeune gentilhomme de Touraine, l'écuyer Gymnaste, qui montrait à Gargantua l'art de la chevalerie. Le temps ainsi employé, après s'être frotté, nettoyé et vêtu d'habits propres, il s'en retournait lentement. Quand ils étaient arrivés au logis, pendant qu'on préparait le souper, ils repassaient quelques passages de ce qui avait été lu. Notez ici que son dîner était sobre et frugal car il mangeait seulement pour calmer les tiraillements de son estomac, mais le souper était copieux et large, et il en prenait tant que lui était besoin pour s'entretenir et nourrir, ce qui est la vraie diète prescrite par l'art de bonne et sûre médecine, quoiqu'un tas de sots médecins conseillent le contraire.

Comment naquit, entre les fouaciers[1] de Lerné et ceux du pays de Gargantua, la grande querelle dont furent faites de grosses guerres

C'était, en ce temps-là, le commencement de l'automne et la saison des vendanges ; les bergers de la contrée gardaient les vignes pour empêcher les étourneaux de manger les raisins. À cette même époque, les fouaciers de Lerné passaient sur la grand-route, menant dix ou douze charges de fouaces à la ville. Les bergers leur demandèrent

1. Pâtissiers qui font des fouaces, des galettes de froment cuites sous la cendre.

courtoisement de leur en donner pour leur argent, au prix du marché. Les fouaciers ne voulurent point écouter leur requête, mais (qui pis est) les outragèrent grandement, les appelant trop-diseux, brèche-dents, chienlits, fainéants, gourmands, ivrognes, vauriens, rustres, lourdauds, malotrus, bouviers d'étrons, et autres épithètes diffamatoires.

Pendant ce temps, les métayers qui, tout près de là, épluchaient les noix, accoururent avec leurs grandes gaules et frappèrent sur ces fouaciers comme sur le seigle vert. Ils leur enlevèrent quatre ou cinq douzaines de fouaces, que, malgré tout, ils payèrent au prix accoutumé.

Comment les habitants de Lerné, par le commandement de Picrochole[1], leur roi, assaillirent au dépourvu les bergers de Gargantua

Lorsqu'ils furent de retour à Lerné, les fouaciers allèrent au Capitole, et là, devant leur roi, nommé Picrochole, déposèrent plainte en montrant leurs paniers rompus, leurs bonnets froissés, leurs robes déchirées, leurs fouaces détroussées, disant que

1. Du grec *picros*, «amer», et *kholê*, la «bile». Picrochole est un tempérament colérique, emporté.

tout avait été fait par les bergers et métayers de Grandgousier. Picrochole entra incontinent dans un courroux furieux et, sans plus chercher ni quoi ni comment, fit venir le ban et l'arrière-ban de son pays et crier que chacun, sous peine d'être pendu, vînt en armes sur la grand-place devant le château, à l'heure de midi.

Avant de se mettre en route, ils envoyèrent trois cents chevau-légers, pour découvrir le pays ; ils trouvèrent tout le pays environnant en paix et silence. Alors, sans ordre ni mesure, ils prirent par les champs, pillant et ravageant tout sur leur passage, sans épargner ni pauvre, ni riche, ni lieu sacré, ni profane ; ils emmenèrent bœufs, vaches, taureaux, veaux, génisses, brebis, moutons, chèvres et boucs, poules, chapons, poulets, oisons, jars, oies, porcs, truies, gorets ; abattant les noix, vendangeant les vignes, emportant les ceps, croulant tous les fruits des arbres. Ils ne trouvèrent personne qui leur résistât, chacun se mettait à leur merci, en les suppliant de les traiter avec plus d'humanité : à cela ils ne leur répondaient rien, sinon qu'ils voulaient leur apprendre à manger de la fouace.

Comment un moine de Seuillé sauva le clos de l'abbaye du sac des ennemis

Tout en pillant et saccageant, ils arrivèrent à Seuillé, y détroussèrent hommes et femmes, et prirent tout ce qu'ils purent. Une fois le bourg pillé, ils se transportèrent à l'abbaye avec un horrible tumulte, mais ils la trouvèrent silencieuse et fermée. Donc l'armée principale la dépassa et marcha vers le gué de Vède, sauf sept enseignes de fantassins et deux cents lances qui restèrent là et détruisirent les murailles du clos, afin de dévaster toute la vendange. Les pauvres diables de moines ne savaient auquel de leurs saints se vouer. Il fut décrété qu'ils feraient une belle procession, renforcée de beaux prêches et litanies.

Dans l'abbaye, il y avait alors un moine cloîtré, nommé frère Jean des Entommeures[1], jeune, galant, éveillé, bien adroit, hardi, aventureux, haut, maigre, bien fendu de la gueule, pour tout dire, en un mot, un vrai moine s'il en fut jamais depuis que le monde moinant moina de moinerie.

Lorsqu'il entendit le bruit que faisaient les ennemis dans le clos de la vigne, il sortit pour voir ce qu'ils faisaient et, s'avisant qu'ils vendangeaient

1. Dans le pays de Loire, *entomer* voulait dire « entamer », « entailler ». Frère Jean est donc « celui qui taille en pièces ».

le clos, frère Jean enleva son grand habit, se saisit du bâton de la croix, long comme une lance, mit son froc en écharpe et, avec le bâton de la croix, frappa les ennemis si rudement, sans crier gare, qu'il les renversait comme des porcs. Aux uns il écrabouillait la cervelle, aux autres il rompait bras et jambes, avalait le nez, pochait les yeux, fendait les mandibules, enfonçait les dents dans la gueule. Si l'un d'entre eux voulait se sauver en fuyant, il lui faisait voler la tête en éclats par la commissure lambdoïde ; celui qui grimpait dans un arbre, pensant y être en sûreté, de son bâton, il l'empalait par le fondement. Il frappait si violemment le nombril de certains, qu'il leur faisait sortir les tripes. Croyez que c'était le plus horrible spectacle qu'on vît jamais.

Les uns criaient : Sainte Barbe !

Les autres : Saint Georges !

Les autres : Sainte Nitouche !

Les autres : Notre-Dame de Cunault ! de Laurette !

Les uns mouraient sans parler, les autres parlaient sans mourir. Les uns mouraient en parlant, les autres parlaient en mourant.

Ainsi, par la prouesse de frère Jean, furent déconfits tous ceux qui étaient entrés dans le clos, au nombre de treize mille six cent vingt-deux, sauf les femmes et les petits enfants, comme de bien entendu.

Avec quels regret et difficulté Grandgousier entra en guerre

Mais laissons-les là et retournons à notre bon Gargantua qui est à Paris, plein de zèle pour l'étude des belles lettres et des exercices athlétiques, et au vieux bonhomme Grandgousier, son père, qui, après souper, se chauffe les couilles à un beau, clair et grand feu et, en faisant griller des châtaignes, fait à sa famille de beaux contes du temps jadis. Un des bergers qui gardaient les vignes vint le voir à ce moment et lui conta tous les excès et pillages que faisait Picrochole, roi de Lerné, dans ses terres et domaines, et comment il avait saccagé tout le pays, excepté le clos de Seuillé, que frère Jean des Entommeures avait sauvé, à sa plus grande gloire ; qu'à présent, ledit roi était à La Roche-Clermault où il préparait sa défense.

– Hélas ! hélas ! dit Grandgousier, qu'est ceci, bonnes gens ? Picrochole, mon ami ancien de tout temps, de toute race et alliance, me vient-il assaillir ? Qui le pousse ? Qui le pique ? Qui le conduit ? Qui l'a ainsi conseillé ?

Grandgousier fit convoquer son conseil, exposa l'affaire telle qu'elle était; il fut conclu qu'on enverrait quérir Gargantua et ses gens, afin de défendre le pays en cas de besoin. Sur l'heure, Grandgousier envoya son laquais chercher en toute hâte Gargantua.

Comment Gargantua démolit le château du gué de Vède et comment ils passèrent le gué

Gargantua monta sur sa grande jument et, trouvant sur son chemin un haut et grand arbre, dit:

– Voici ce qu'il me fallait: cet arbre me servira de bourdon[1] et de lance.

Il l'arracha facilement de terre, en ôta les rameaux et le prépara comme il voulait. Pendant ce temps, sa jument pissa pour se soulager le ventre, mais ce fut en telle abondance qu'elle en fit sept lieues de déluge; et tout le pissat dériva vers le gué de Vède, et l'enfla tant que toute la bande des ennemis fut horriblement noyée, sauf quelques-uns qui avaient pris un chemin à gauche, vers les coteaux.

1. Long bâton.

Comment Gargantua, en se peignant, faisait tomber de ses cheveux les boulets d'artillerie

Sortis de la rivière de la Vède, peu de temps après ils abordèrent au château de Grandgousier, qui les attendait impatiemment. En le voyant, ils lui firent fête à tour de bras ; jamais on ne vit gens plus joyeux, et le *Supplément du Supplément des Chroniques* dit que Gargamelle en mourut de joie. Je n'en sais rien pour ma part, et me soucie bien peu et d'elle et des autres.

La vérité fut que Gargantua, changeant d'habits et se coiffant de son peigne (dont les dents étaient celles d'éléphants tout entières), faisait tomber à chaque coup plus de sept boulets qui lui étaient demeurés dans les cheveux à la démolition du bois de Vède. Ce que voyant, Grandgousier, son père, pensa que c'étaient des poux.

Alors Ponocrate répondit :

– Ce sont des coups de canon que naguère a reçus votre fils Gargantua en passant devant le bois de Vède, par la trahison de vos ennemis.

Cela dit, on prépara le souper, et par surcroît furent rôtis seize bœufs, trois génisses, trente-deux veaux, soixante-trois chevreaux, quatre-vingt-quinze moutons, trois cents gorets de lait, onze vingt perdrix, sept cents bécasses, six mille poulets et autant de pigeons, et mille sept cents chapons gras.

Quand Gargantua fut à table et les premiers mets bâfrés, Grandgousier se mit à lui raconter la cause de la guerre survenue entre lui et Picrochole, et en arriva au moment de raconter comment frère Jean des Entommeures avait triomphé à défendre le clos de l'abbaye. Gargantua réclama donc qu'on l'allât quérir sur l'heure, afin qu'avec lui on vît ce qu'il restait à faire. À sa venue, on lui fit mille caresses, mille embrassements, et mille bonjours lui furent donnés. Le souper achevé, tous se consultèrent sur l'affaire en cours.

Comment Gargantua assaillit Picrochole dans La Roche-Clermault et défit l'armée dudit Picrochole

Gargantua eut la charge totale de l'armée. Son père demeura dans son fort, et, leur donnant courage par de belles paroles, promit de grandes récompenses à ceux qui feraient quelques prouesses. Puis ils gagnèrent le gué de Vède et y passèrent d'une traite. Puis, considérant la situation de la ville de La Roche-Clermault, qui était en lieu haut et avantageux, il déploya son armée, mettant les troupes auxiliaires du côté de la montée.

Picrochole sortit furieusement de sa maison avec une bande d'hommes en armes; et là il fut reçu et fêté à grands coups de canon. Les Gargantuistes se retirèrent alors pour faciliter les mouvements de l'artillerie. Ceux de la ville se défendaient du mieux qu'ils pouvaient. Plusieurs de la bande, qui avaient échappé à l'artillerie, firent bravement assaut sur nos gens, mais en vain. Ce que voyant, ils voulurent se retirer, mais, pendant ce temps, le moine avait occupé le passage, c'est pourquoi ils fuirent sans ordre ni tenue. Quelques-uns voulurent leur donner la chasse, mais le moine les retint, craignant qu'en suivant les fuyards, ils ne rompissent leurs rangs et que ceux de la ville les chargeassent. Ils tuèrent les soldats qui gardaient la porte qu'ils ouvrirent ensuite aux hommes d'armes.

Lorsque les assiégés virent la ville envahie de tous côtés par les Gargantuistes, ils se rendirent au moine et implorèrent sa pitié. Picrochole et ses gens, voyant alors que tout était désespéré, prirent la fuite de tous côtés. Depuis, on ne sait ce qu'il est devenu. Gargantua les poursuivit, tuant et massacrant, puis sonna la retraite.

Comment Gargantua fit bâtir pour le moine l'abbaye de Thélème

Il restait à récompenser le moine, que Gargantua voulait faire abbé de Seuillé, mais celui-ci refusa. Il lui voulut donner l'abbaye de Bourgueil ou de Saint-Florent, celle qui lui conviendrait le mieux, ou toutes les deux s'il voulait ; mais le moine lui fit cette réponse péremptoire que, de moines, il ne voulait ni charge ni gouvernement.

– Car comment, disait-il, pourrais-je gouverner autrui, quand je ne saurais me gouverner moi-même ? S'il vous semble que je vous ai rendu un service agréable et que je pourrais encore le faire, octroyez-moi de fonder une abbaye selon mon bon plaisir.

La demande plut à Gargantua, il lui offrit tout son pays de Thélème, à côté de la Loire et à deux lieues de la forêt de Port-Huault. Frère Jean demanda à Gargantua qu'il lui permît d'instaurer sa religion au contraire de toutes les autres.

– Premièrement donc, dit Gargantua, il ne faudra pas bâtir de murailles tout autour, car toutes les autres abbayes sont solidement murées.

– C'est vrai, dit le moine, et non sans raison : là où il y a des murs, devant et derrière, il y a force murmures, envies et conspirations muettes.

En outre, vu que, dans certains couvents de ce

monde, il est d'usage que, si une femme y entre (je veux parler des prudes et des chastes), on nettoie la place par où elle est passée, il fut ordonné que, si un religieux ou une religieuse y entrait par hasard, on nettoierait avec soin tous les lieux par lesquels ils seraient passés. Et, parce que dans les religions de ce monde, tout est limité et réglé par les heures, il fut décrété que là il n'y aurait ni horloge, ni cadran aucun, mais que tous les travaux seraient faits selon les circonstances et les opportunités.

– Car, disait Gargantua, la plus grande perte de temps est de compter les heures – quel bien en vient-il ? – et la plus grande bêtise du monde est de se gouverner au son d'une cloche, et non selon le bon sens.

De la même manière, parce qu'à cette époque n'entraient en religion que les femmes borgnes, boiteuses, bossues, laides, difformes, folles, insensées, disgraciées et tarées, et les hommes catarrheux, mal nés, niais, il fut décidé que, dans cette abbaye, ne seraient reçus que les femmes belles, bien formées et bien en chair, et seulement les hommes beaux, bien formés et bien musclés.

Parce que, dans les couvents des femmes, n'entraient pas les hommes, sinon en cachette et clandestinement, il fut décrété que, dans celui-ci, il n'y aurait point de femmes s'il n'y avait déjà des

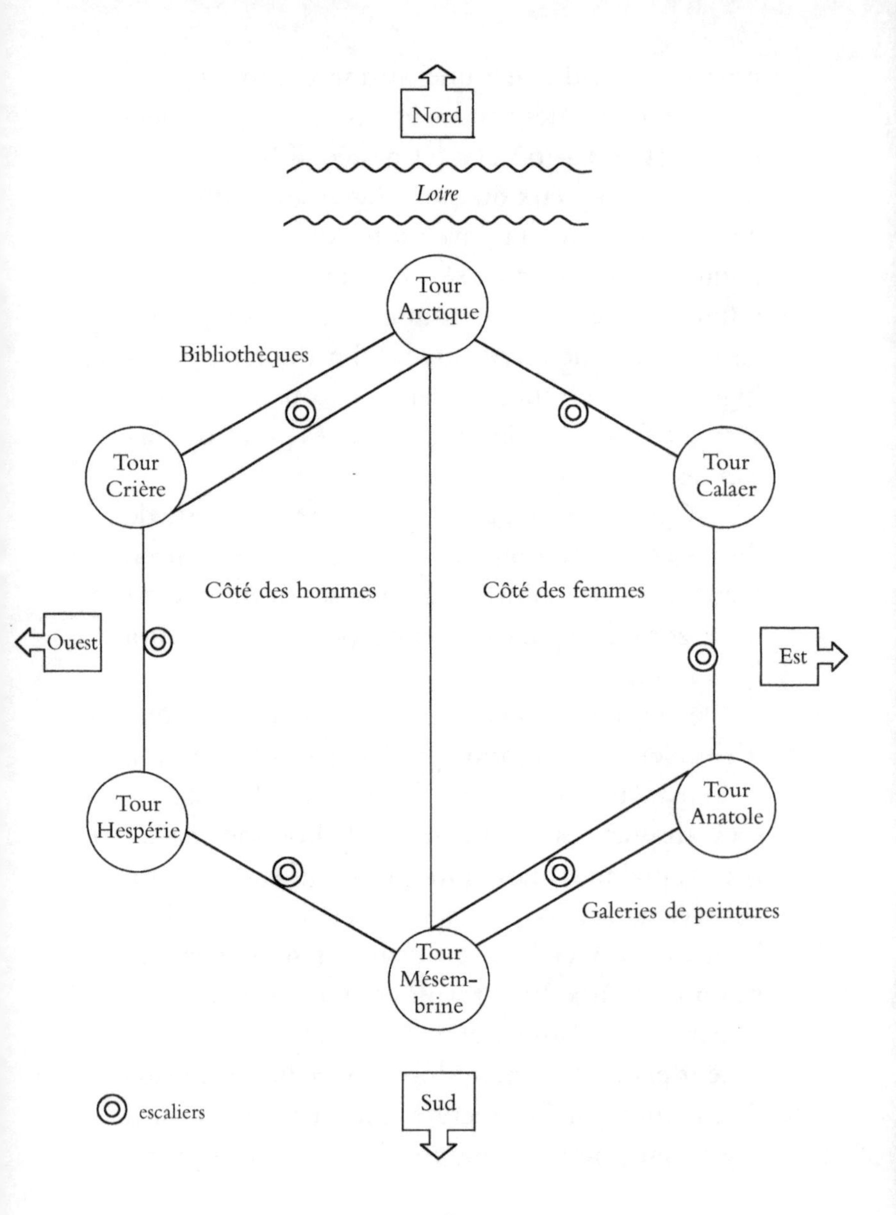
Nord
Loire
Tour Arctique
Bibliothèques
Tour Crière
Tour Calaer
Côté des hommes
Côté des femmes
Ouest
Est
Tour Hespérie
Tour Anatole
Galeries de peintures
Tour Mésem-brine
escaliers
Sud

hommes et point d'hommes si les femmes n'y étaient pas.

Parce que tant les hommes que les femmes, une fois reçus en religion, étaient contraints d'y rester et d'y demeurer perpétuellement leur vie durant, il fut établi que les hommes et les femmes accueillis là sortiraient quand bon leur semblerait, en pleine et entière liberté.

Parce que, ordinairement, les religieux faisaient trois vœux, chasteté, pauvreté et obéissance, il fut décidé que là on pouvait être marié, riche, et vivre librement.

L'âge auquel on pouvait être admis était : pour les femmes, de dix à quinze ans, pour les hommes, de douze à dix-huit.

Comment fut bâtie et dotée l'abbaye des Thélémites

Le bâtiment était de figure hexagonale, de telle façon qu'à chaque angle était bâtie une grosse tour ronde, de soixante pas de diamètre. Elles étaient toutes pareilles en grosseur et architecture. La Loire coulait au nord et baignait la tour Arctique ; en allant vers l'orient, on en trouvait une autre nommée Calaer ; ensuite venaient les tours Anatole, Mésembrine, Hespérie, et enfin Crière.

Entre chaque tour il y avait un espace de trois cent douze pas. L'ensemble comportait six étages, comprenant les caves sous terre. Le toit était couvert d'ardoise fine, avec endossure de plomb ; les gouttières sortaient de la muraille entre les croisées ; elles étaient peintes en figure diagonale d'or et d'azur.

Ledit bâtiment était cent fois plus magnifique que ne le sont Chambord, ni Chantilly ; car il comprenait neuf mille trois cent trente-deux chambres, chacune garnie d'une arrière-chambre, d'un cabinet, d'une garde-robe, d'une chapelle, et donnant sur une grande salle.

De la tour Arctique jusqu'à la tour Crière, étaient les belles grandes bibliothèques en grec, latin, hébreu, français, toscan et espagnol, réparties dans les divers étages selon ces langues. Au milieu, il y avait un merveilleux escalier : l'entrée se trouvait hors du logis en un arceau large de six toises.

De la tour Anatole à la tour Mésembrine, il y avait de belles et grandes galeries, toutes peintes des antiques prouesses, histoires et descriptions de la terre. Au milieu, il y avait un escalier et une porte. Sur cette porte était écrit en grosses lettres antiques ce qui suit.

Inscription mise sur la grande porte de Thélème

Ici n'entrez pas, hypocrites, bigots,
Vieux fous, souffreteux, boursouflés,
Tartufes, badauds, plus que n'étaient les Goths,
Ou Ostrogoths, précurseurs des magots,
Hères, cagots, cafards empantouflés,
Gueux à mitaines, moines déguenillés.

Ici entrez, vous, qui le saint Évangile
Annoncez, quoi qu'on gronde ;
Céans, vous aurez un refuge et asile
Contre l'hostile erreur qui tant galope,
Par son faux style empoisonnant le monde.
Entrez, qu'on fonde ici la foi profonde,
Puis qu'on confonde
Les ennemis de la sainte parole.

Ici entrez, vous, dames de haut parage,
Sans hésiter, entrez-y en bonheur,
Fleurs de beauté à céleste visage.

Comment étaient vêtus les religieux et religieuses de Thélème

Au début de l'existence de l'abbaye, les dames s'habillaient selon leur plaisir. Puis elles réformèrent leur tenue selon leur bon vouloir de la façon qui suit.

Elles portaient des culottes d'écarlate qu'elles passaient au-dessus du genou à seulement trois doigts. Les jarretières étaient de la couleur de leurs bracelets. Les souliers, escarpins et pantoufles étaient de velours cramoisi rouge ou violet. Sur la chemise, elles portaient une belle veste de soie. Sur celle-ci, elles revêtaient un jupon de taffetas blanc, rouge, gris, etc.

Les robes, selon la saison, de toile d'or à frisure d'argent, de satin rouge, de taffetas blanc, bleu, noir, de serge de soie, velours ou satin parfilé d'or en dessins divers. L'hiver, elles étaient vêtues de robes de taffetas fourrées de loups-cerviers, belettes noires, martres de Calabre, zibelines et autres fourrures précieuses. Les chapelets, anneaux, chaînes, colliers étaient faits de fines pierreries, escarboucles, rubis, diamants, saphirs, émeraudes, turquoises, grenats, agates, perles de toute beauté.

Les hommes étaient habillés à leur goût : chausses d'étamine ou de serge drapée, en blanc ou en noir. Le pourpoint de drap d'or, d'argent, de velours, satin, damas, taffetas de mêmes couleurs ; chacun portait une belle épée au côté, à la poignée dorée, avec un fourreau de velours de la couleur des chausses ; le poignard, de même.

Il existait une telle sympathie entre les hommes et les femmes que, chaque jour, ils étaient vêtus de parures assorties. Et, pour ne pas y manquer, certains gentilshommes avaient ordre de dire aux hommes, chaque matin, quelle livrée les femmes voulaient porter dans la journée, car tout était fait selon le bon plaisir des dames.

Comment étaient réglés les Thélémites dans leur manière de vivre

Toute leur vie était employée non d'après des lois, statuts ou règles, mais selon leur bon vouloir et franc arbitre. Ils se levaient du lit quand bon leur semblait, buvaient, mangeaient, travaillaient, dormaient quand le désir leur en venait ; personne ne les éveillait, nul ne les forçait ni à boire, ni à manger, ni à faire quoi que ce soit d'autre. Ainsi l'avait établi Gargantua. Dans leur règle, il n'y avait que cette clause :

FAIS CE QUE VOUDRAS

Parce que les gens libres, bien nés, bien instruits, conversant en honnêtes compagnies, ont par nature un instinct qui toujours les pousse aux actions vertueuses et les éloigne du vice. C'est ce qu'ils nomment l'honneur.

Par cette liberté, ils eurent une louable émulation à faire tous ce qu'ils voyaient plaire à un seul. Si quelqu'un ou quelqu'une disait : « Buvons », tous buvaient ; « Jouons », tous jouaient ; « Allons nous amuser dans les champs », tous y allaient. Si c'était pour chasser, les dames montées sur de belles juments, sur leur poing mignonnement gantelé, portaient un épervier ou un émerillon[1]. Les hommes portaient les autres oiseaux.

Ils étaient tous si noblement éduqués qu'il n'y avait parmi eux aucun homme ni aucune femme qui ne sût lire, écrire, chanter, jouer d'instruments harmonieux, parler cinq ou six langues et composer, tant en vers qu'en prose. Jamais on ne vit des chevaliers si preux, si galants, si habiles à pied et à cheval, plus vifs, plus remuants, plus habiles à manier le bâton que ceux qui étaient là. Jamais on ne vit dames si propres, si mignonnes, si agréables, si habiles à manier l'aiguille et à tout acte féminin honnête et libre, que celles qui étaient là.

Pour cette raison, quand le temps venait pour un de ces religieux de sortir de cette abbaye, soit à la demande de ses parents, soit pour quelque

1. Petit faucon de chasse.

autre cause, il emmenait avec lui une des dames, celle qui l'avait pris pour chevalier servant, et ils se mariaient ensemble ; et s'ils avaient bien vécu à Thélème en dévotion et en amitié, ils continuaient encore mieux dans le mariage et s'aimaient l'un et l'autre à la fin de leurs jours comme aux premiers temps de leurs noces.

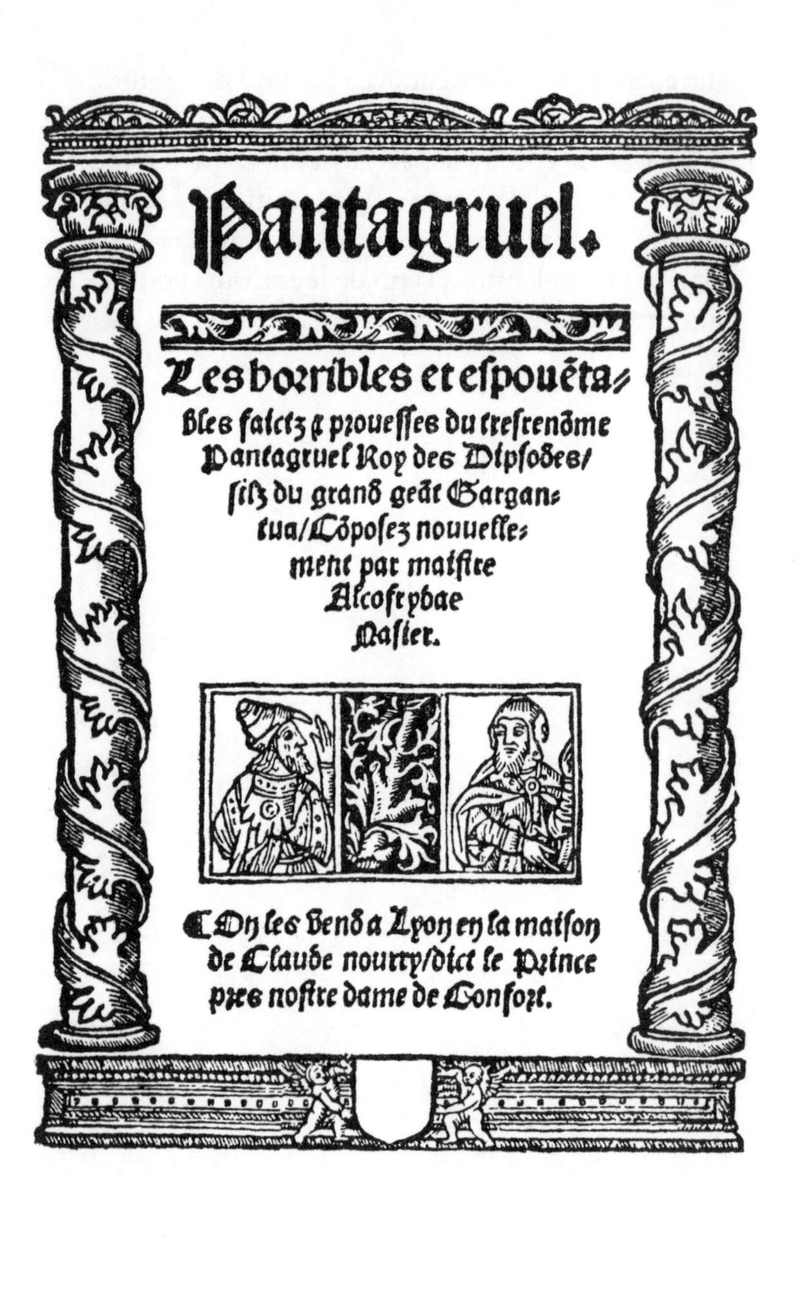

Pantagruel.

Les horribles et espouēta-
bles faictz & prouesses du tresrenōme
Pantagruel Roy des Dipsodes/
filz du grand geāt Gargan-
tua/Cōposez nouuelle-
ment par maistre
Alcofrybas
Nasier.

¶ On les vend a Lyon en la maison
de Claude nourry/dict le Prince
pres nostre dame de Confort.

PANTAGRUEL, ROI DES DIPSODES, RESTITUÉ À SON NATUREL AVEC SES FAITS ET PROUESSES ÉPOUVANTABLES

composés par feu M. Alcofribas,
abstracteur de Quintessence

De la nativité du très redouté Pantagruel

Gargantua, à l'âge de quatre cent quatre-vingt quarante-quatre ans, engendra son fils Pantagruel, de sa femme nommée Badebec[1], fille du roi des Amaurotes en Utopie[2], laquelle mourut de mal d'enfant, car il était si grand et si lourd qu'il ne put venir à la lumière sans ainsi suffoquer la mère. Mais, pour comprendre pleinement la cause et raison du nom qui lui fut donné en baptême, vous noterez que, cette année-là, il y avait une si grande sécheresse dans tout le pays d'Afrique que trente-six mois trois semaines quatre jours treize heures et un peu plus se passèrent sans pluie, avec une chaleur de soleil si véhémente que toute la terre en était aride.

Il n'y avait pas un arbre sur terre qui eût feuille ni fleur, les herbes étaient sans verdeur, les rivières taries, les fontaines à sec.

1. Badebec = « baillebec », qui ouvre une large bouche, qui parle sans réfléchir.

2. Cette ville des Amaurotes était déjà la capitale de l'île d'Utopie dans l'œuvre de l'humaniste anglais Thomas More (1516). Chez More, Amaurote est la ville du brouillard, ce qu'explique l'étymologie grecque du mot *amaurôsis* : « obscurcissement ».

En ce qui concerne les hommes, c'était une grande pitié : vous les eussiez vus tirant la langue comme des lévriers qui ont couru six heures. Plusieurs se jetaient dans les puits ; d'autres se mettaient sous le ventre d'une vache pour être à l'ombre.

Un vendredi, tout le monde s'était mis en dévotion et faisait une belle procession avec force litanies et beaux prêches, suppliant Dieu omnipotent de les vouloir regarder de son œil de clémence ; on vit alors de la terre sortir de grosses gouttes d'eau, comme quand une personne sue copieusement. Et le pauvre peuple commença à se réjouir comme si c'était une chose dont il pût profiter. Mais ils y furent trompés : car une fois la procession finie, alors que chacun voulait recueillir cette rosée et en boire à plein godet, ils découvrirent que ce n'était que saumure, pire et plus salée que n'est l'eau de la mer.

Et parce que, ce même jour, naquit Pantagruel, son père lui imposa ce nom : car *panta*, en grec, veut dire « tout » et *gruel*, en langue arabe, est l'équivalent d'« altéré », voulant montrer par là que, à l'heure de sa nativité, le monde était tout altéré. Il voyait en esprit de prophétie qu'il régnerait un jour sur les altérés.

Cela lui fut montré à cette heure même par un autre signe plus évident. Car, alors que sa mère

Badebec enfantait et que les sages-femmes attendaient pour le recevoir, sortirent en premier de son ventre soixante-huit muletiers, chacun tirant par le licol un mulet tout chargé de sel, après lesquels sortirent neuf dromadaires chargés de jambons et langues de bœuf fumées, sept chameaux chargés de petites anguilles, puis vingt-cinq charrettes de poireaux, d'aulx, d'oignons et de ciboule ; ce qui épouvanta bien lesdites sages-femmes.

Et, comme elles caquetaient entre elles, voici sorti Pantagruel, tout velu comme un ours ; l'une d'entre elles, en esprit prophétique, dit :

– Il est né à tout poil, il fera des choses merveilleuses, et, s'il vit, il aura de l'âge.

Du deuil que mena Gargantua de la mort de sa femme Badebec

Quand Pantagruel fut né, qui fut bien ébahi et perplexe ? Ce fut Gargantua, son père, car, voyant d'un côté sa femme Badebec morte, et de l'autre son fils Pantagruel né, si beau et grand, il ne savait que dire ni que faire. Et le doute qui troublait son esprit était de savoir s'il devait pleurer pour le deuil de sa femme ou rire pour la joie de son fils. D'un côté et d'autre, il avait des arguments sophistiques qui le suffoquaient, et qu'il ne pouvait résoudre.

– Pleurerai-je? disait-il. Oui, car pourquoi? Ma tant bonne femme est morte, qui était la plus ceci, la plus cela qui fût au monde. Jamais plus je ne la verrai, jamais je n'en retrouverai une semblable: ce m'est une perte inestimable! Ô mon Dieu, que t'avais-je fait pour que tu me punisses ainsi? Que ne m'envoyas-tu à la mort le premier? Car vivre sans elle ne m'est que languir. Ah, Badebec, ma mignonne, ma mie, ma tendrette, ma braguette, ma savate, ma pantoufle, jamais plus je ne te verrai.

Et, disant cela, il pleurait comme une vache, mais tout soudain il riait comme un veau, quand Pantagruel lui venait en mémoire.

– Ô mon petit fils, disait-il, mon couillon, mon peton, que tu es joli! Et je dois tant à Dieu de ce qu'il m'a donné un si beau fils, si joyeux, si rieur, si joli. Ho, ho, ho, ho, ho! que je suis aise! buvons, ho! laissons toute mélancolie; apportez du meilleur vin, rincez les verres, mettez la nappe, chassez les chiens, soufflez ce feu, allumez cette chandelle, fermez cette porte...

Disant cela, il entendit la litanie des prêtres qui portaient sa femme en terre, donc il laissa son propos et tout soudain fut ravi par ailleurs.

– Jésus, faut-il que je m'attriste encore? Cela

me fâche, je ne suis plus jeune, je deviens vieux, je pourrais prendre quelque fièvre, me voilà affolé. Foi de gentilhomme, il vaut mieux pleurer moins et boire davantage. Ma femme est morte : eh bien, par Dieu, je ne la ressusciterai pas par mes pleurs. Elle est bien, elle est au paradis pour le moins, si ce n'est pas mieux : elle prie Dieu pour nous, elle est bien heureuse, elle ne se soucie plus de nos misères et calamités. Que Dieu garde ceux qui restent ! Il me faut penser à en trouver une autre. Voici ce que vous ferez, dit-il aux sages-femmes : allez à son enterrement, et pendant ce temps, je bercerai mon fils ici, car je me sens bien fort altéré et serais en danger de tomber malade, mais buvez quelque bon coup avant, car vous vous en trouverez bien, croyez-m'en sur mon honneur.

À quoi obtempérant, elles allèrent à l'enterrement, et le pauvre Gargantua demeura au logis, mais pendant ce temps il fit l'épitaphe destinée à être gravée de la manière qui suit :

Elle en mourut, la noble Badebec
Du mal d'enfant, qui tant me semblait simple.
Ci-gît son corps, lequel vécut sans vice,
Et mourut l'an et jour qu'il trépassa.

De l'enfance de Pantagruel

Je trouve, chez les anciens historiographes et poètes, que plusieurs sont nés en ce monde de façons bien étranges, qui seraient trop longues à raconter. Mais vous n'en entendîtes jamais une si merveilleuse que celle de Pantagruel. Car c'était chose difficile à croire, la rapidité avec laquelle il grandit en corps et en force. Hercule n'était rien, qui au berceau tua les deux serpents, car les serpents étaient bien petits et fragiles. Mais Pantagruel, étant encore au berceau, fit des choses bien épouvantables. Je passe sous silence la manière dont, à chacun de ses repas, il buvait le lait de quatre mille six cents vaches ; et comment, pour lui faire un poêlon à cuire sa bouillie, furent occupés tous les poêliers de Saumur en Anjou, de Villedieu en Normandie et de Bramont en Lorraine. On lui donnait ladite bouillie dans un grand tambour qu'on voit encore à Bourges, près du palais, mais ses dents étaient déjà si grandes et résistantes qu'il en brisa un grand morceau, comme on peut encore le constater.

Un jour, le matin, alors qu'on voulait lui faire téter une de ses vaches (car il n'eut jamais d'autre nourrice, comme dit l'histoire), il se défit des liens qui le tenaient au berceau, vous prit ladite vache par-dessous le jarret et lui mangea les deux tétins et la moitié du ventre, avec le foie et les rognons. Et il l'eût toute dévorée si elle n'avait crié horriblement, comme si les loups la tenaient par les jambes. À ce cri, tout le monde arriva, ils ôtèrent ladite vache des mains dudit Pantagruel, mais de telle manière qu'il lui resta le jarret : il le tenait et le mangeait très bien, comme vous feriez d'une saucisse. Et quand on voulut lui ôter l'os, il l'avala d'un coup, comme un cormoran ferait d'un petit poisson. Et après il commença à dire : « Bon, bon, bon », car il ne savait pas encore bien parler, voulant faire comprendre qu'il l'avait trouvé fort bon et qu'il ne lui manquait plus qu'un autre. Voyant cela, ceux qui le servaient le lièrent avec de gros câbles.

Un jour, un gros ours que nourrissait son père s'échappa, et vint lui lécher le visage car les nourrices ne lui avaient pas bien torché les babines : il se défit desdits câbles aussi facilement que Samson avec les Philistins, et vous attrapa monsieur l'ours, vous le mit en pièces comme un poulet et vous en fit une bonne gorge chaude pour ce repas. C'est pourquoi Gargantua, craignant qu'il ne se blessât, fit faire quatre grosses chaînes de fer pour le lier. Et, de ces chaînes, vous en avez une à La Rochelle, que l'on lève le soir entre les deux grosses tours du port. L'autre est à Lyon, l'autre à Angers, et la quatrième fut emportée par les diables pour lier Lucifer qui se déchaînait en ce temps-là, à cause d'une colique qui le tourmentait extraordinairement, car il avait mangé l'âme d'un sergent en fricassée à son petit déjeuner. Et ainsi, Pantagruel demeura coi et pacifique, car il ne pouvait pas rompre si facilement lesdites chaînes.

Mais voici qu'arriva un jour une grande fête : son père Gargantua donnait un beau banquet à tous les princes de sa cour. Je crois bien que tous les officiers de la cour étaient si occupés au service du festin que l'on ne se souciait point du pauvre Pantagruel, et il demeurait ainsi, oublié. Voici ce qu'il fit : il essaya de rompre les chaînes du berceau avec les bras, mais il ne put, car elles étaient trop solides. Donc il trépigna tant des pieds qu'il rompit le bout de son berceau, et quand il eut ainsi mis les pieds dehors, il s'allongea du mieux qu'il put, jusqu'à poser les pieds par terre. Et alors il se leva puissamment, emportant son berceau ainsi lié sur l'échine, comme une tortue qui monte contre une muraille. À le voir, il semblait que ce fût un grand vaisseau de cinq cents tonneaux debout. Il entra alors dans la salle où l'on banquetait et épouvanta hardiment l'assistance ; comme il avait les bras liés à l'intérieur, il ne pouvait rien prendre à manger, mais s'inclinait à grand-peine pour attraper à même la langue quelque bouchée.

Son père, voyant cela, comprit bien qu'on l'avait laissé sans lui porter à manger et commanda qu'on le déliât de ses chaînes. Lorsqu'il fut déchaîné, on le fit asseoir, et il mangea fort bien, puis mit son berceau en plus de cinq cent mille pièces, d'un coup de poing qu'il frappa au milieu, avec protestation de n'y jamais retourner.

Des faits du noble Pantagruel en son jeune âge

Ainsi croissait Pantagruel de jour en jour et profitait à vue d'œil, ce dont son père se réjouissait, comme il est tout naturel.

Il l'envoya à l'école pour apprendre et passer son jeune âge. Pantagruel vint donc à Poitiers pour étudier. Lisant les belles chroniques de ses ancêtres, il trouva que Geoffroy de Lusignan, dit Geoffroy Grande Dent[1], grand-père du beau-cousin de la sœur aînée de la tante du gendre de l'oncle de la bru de sa belle-mère, était enterré à Maillezais. Il prit donc un jour par les champs pour le visiter, comme un homme de bien. Et, partant de Poitiers avec quelques-uns de ses com-

1. On retrouve Geoffroy Grande Dent, l'un des fils de Mélusine, dans *Le Roman de Mélusine* de Jean-Pierre Tusseau (« Classiques abrégés », l'école des loisirs, 2004).

pagnons, ils passèrent par Lusignan, Sansay, Celles, Fontenay-le-Comte ; ils arrivèrent à Maillezais, où il visita le sépulcre dudit Geoffroy Grande Dent. Puis il voulut visiter les autres universités de France. Il vint à Montpellier, où il trouva fort bons vins et joyeuse compagnie, et crut qu'il allait étudier la médecine, mais il considéra que la profession était trop fâcheuse et mélancolique, et que les médecins sentaient les clystères comme de vieux diables. Il voulut étudier les lois, mais voyant qu'il n'y avait que trois teigneux et un pelé de légistes, il partit de là. Il vint en Avignon, où il tomba amoureux en trois jours, car les femmes y jouent volontiers du serre-croupière. Ce que voyant, son pédagogue, nommé Épistémon[1], l'emmena à Valence, en Dauphiné, mais il vit qu'il n'y avait pas beaucoup de mouvement, et que les maroufles de la ville battaient les écoliers : il en eut du dépit. Il en partit et vint à Angers, où il se trouvait fort bien, et y fût resté quelque temps si la peste ne les en avait chassés. Ainsi s'en vint à Bourges, où il étudia bien longtemps et profita beaucoup à la faculté de droit. Partant de Bourges, il vint à Orléans et y trouva force écoliers rustres qui lui firent grande chère quand il arriva.

1. Du grec *epistêmê*, la « science » : Épistémon est donc le savant.

Comment Pantagruel rencontra un Limousin qui contrefaisait le langage français

Un jour que Pantagruel se promenait après souper avec ses compagnons, par la porte d'où l'on va à Paris, il rencontra un écolier tout joliet qui venait par ce chemin. Et, après qu'ils se furent salués, il lui demanda :

– Mon ami, d'où viens-tu à cette heure ?

L'écolier lui répondit :

– De la célèbre académie que l'on vocite Lutèce[1].

– Qu'est-ce à dire ? demanda Pantagruel à un de ses gens.

– C'est, répondit-il, Paris.

– Tu viens donc de Paris, dit-il. Et à quoi passez-vous le temps, vous autres messieurs étudiant à Paris ?

L'écolier répondit :

– Nous transfrétons la Séquane au dilucule et crépuscule ; nous déambulons par les compites et quadrivies de l'urbe ; nous despumons la verbocination latiale, et, comme verisimiles amorabonds, captons la bénévolence de l'omnijuge, omni-

1. Cette phrase, comme toutes celles de l'écolier limousin, est difficilement compréhensible, à dessein : Rabelais se moque de ceux qui s'expriment en se barbouillant de latin.

forme et omnigène sexe féminin. Et si, par forte fortune, y a rareté ou pénurie de pécune en nos marsupies, et manque de métal ferrugineux, pour payer notre écot nous dimittons nos codices et vestes oppignerées, prestolant les tabellaires à venir des pénates et lares patriotiques.

– Eh, bren, bren, dit Pantagruel, que veut dire ce fou ? Je crois qu'il nous forge ici quelque langage diabolique et qu'il nous charme comme un enchanteur. Réponds-moi : d'où es-tu ?

L'écolier lui dit :

– L'origine primève de mes aves et ataves fut indigène des régions lémoviques, où requiesce le corps de l'agiotate saint Martial.

– J'entends bien, dit Pantagruel : tu es limousin, pour tout potage. Et tu veux ici contrefaire le Parisien. Viens ici, que je te rosse un peu.

Alors il le prit à la gorge, lui disant :

– Tu écorches le latin ; par saint Jean, je te ferai écorcher le renard, car je t'écorcherai tout vif.

Alors le pauvre Limousin commença à dire :

– Vée dicou ! gentilastre. Ho saint Marsault, adiouda my. Hau, hau, laissas à quau, au nom de Diou, et ne me touquas grou[1].

Alors Pantagruel lui dit :

1. « Dites donc, gentilhomme. Oh ! saint Marceau, secourez-moi. Oh, oh, laissez-moi, au nom de Dieu, ne me touchez pas », en patois limousin.

– À cette heure tu parles naturellement.

Et il le laissa ainsi, car le pauvre Limousin conchiait toutes ses chausses.

Mais l'écolier en eut un tel remords toute sa vie, et il fut tellement altéré que souvent il disait que Pantagruel le tenait à la gorge. Et, après quelques années, il mourut de la mort de Roland[1]; par là, la vengeance divine donne raison à Aulu-Gelle: il nous convient de parler selon le langage usuel. Et, comme disait Octave Auguste, il faut éviter les mots épaves avec le même soin que les patrons de navires évitent les rochers de la mer.

Comment Pantagruel vint à Paris, et des beaux livres de la bibliothèque Saint-Victor

Lorsque Pantagruel eut fort bien étudié à Orléans, il décida de visiter la grande université de Paris. Il vint à Paris avec ses gens. À son entrée, tout le monde sortit pour le voir, comme vous savez bien que le peuple de Paris est sot par nature, ils le regardaient en grand ébahissement. Il y resta un certain temps et étudia fort sérieuse-

1. C'est-à-dire de soif.

ment les sept arts libéraux[1]. Il disait que c'était une bonne ville pour vivre, mais non pas pour mourir, car les gueux du cimetière Saint-Innocent se chauffaient le cul avec les ossements des morts. Et il trouva la bibliothèque Saint-Victor fort magnifique, ainsi que quelques livres qu'il y trouva, comme :

Bragueta juris[2] ;
Le Peloton de théologie ;
L'apparition de sainte Gertrude à une nonne de Poissy étant en mal d'enfant ;
Ars honeste petandi in societate[3], par M. Ortuinum ;
Les Fanfares de Rome ;
Les Lunettes des Romipètes[4] ;
De modo faciendi boudinos[5] ;
La Mâchefaim des avocats ;
Le Cul pelé des veuves ;
Le Claquedent des maroufles ;
Les Pétarades des bullistes, copistes, scripteurs et abréviateurs, compilées par Regis ;

1. Il existait sept arts libéraux enseignés dans l'Antiquité, mais également au Moyen Âge : grammaire, dialectique, rhétorique, arithmétique, géométrie, astronomie et musique.

2. *La Braguette du droit.*

3. *L'Art de péter comme il faut en société.*

4. Romipètes : les pèlerins de Rome.

5. *De la manière de faire les boudins.*

L'Almanach perpétuel pour les goutteux et les vérolés ;

L'Histoire des farfadets ;

Le Limaçon des rimasseurs ;

La Patenôtre du singe ;

Ingeniositas invocandi diabolos et diabolas, per M. Guingolfum[1] ;

Le Ravasseur des cas de conscience ;

Le Baisecul de chirurgie.

Certains de ces livres sont déjà imprimés ; les autres, on les imprime en ce moment dans la noble ville de Tübingen[2].

Comment Pantagruel, étant à Paris, reçut une lettre de son père, dont voici la copie

Pantagruel étudiait fort bien, comme vous le comprenez, et profitait de même, car il avait l'intelligence profonde et une capacité de mémoire à la mesure de douze bottes d'olives. Et, comme il continuait à étudier, il reçut un jour de son père la lettre que voici :

1. *L'Ingéniosité d'invoquer les diables et les diablesses, par M. Guingolfe.*

2. Cette ville allemande était réputée pour ses papeteries et ses imprimeries.

Très cher fils, parmi les dons, grâces et prérogatives dont le souverain Créateur Dieu tout-puissant a orné l'humaine nature à son commencement, celle-ci me semble remarquable et excellente, qui permet, alors qu'on est mortel, d'acquérir une espèce d'immortalité et, au cours de la vie transitoire, de perpétuer son nom et sa semence.

Je rends donc grâce à Dieu, mon conservateur, de ce qu'il m'a donné la possibilité de voir ma vieillesse chenue refleurir en ta jeunesse. C'est pourquoi, comme en toi demeure l'image de mon corps, si pareillement il n'y reluisait pas les qualités de l'âme, on ne te jugerait pas digne d'être le gardien et le trésor de l'immortalité de notre nom.

C'est pourquoi, mon fils, je t'exhorte à employer ta jeunesse à bien profiter de tes études. Tu es à Paris, tu as ton précepteur Épistémon, qui, par des instructions données à haute voix et par de louables exemples, peut te donner un bon enseignement. J'entends donc et je veux que tu apprennes les langues parfaitement. Premièrement, le grec, comme le veut Quintilien ; deuxièmement, le latin ; puis l'hébreu pour les Saintes Écritures, et le chaldéen, et l'arabe ; je veux que tu formes ton style, pour le grec, à l'imitation de Platon, et pour le latin, de Cicéron. Les arts libéraux – géométrie, arithmétique et musique –, je t'en donnai quelque goût quand tu étais encore petit, de cinq à six ans ; continue le reste, et apprends toutes les lois de l'astronomie.

Laisse de côté l'astrologie divinatrice comme chose superflue et vaine. Du droit civil, je veux que tu saches par cœur les beaux textes, et que tu m'en parles avec philosophie.

Quant à la connaissance des phénomènes naturels, je veux que tu t'y adonnes avec curiosité : qu'il n'y ait mer, rivière ni fontaine dont tu ne connaisses les poissons ; tous les oiseaux de l'air, tous les arbres, arbustes et fruits des forêts, toutes les herbes de la terre, tous les métaux cachés au ventre des abîmes, les pierreries de l'Orient et du Midi : que rien ne te soit inconnu.

Puis revisite avec soin les livres des médecins grecs, arabes et latins, sans mépriser les talmudistes et cabalistes, et, par de fréquentes leçons d'anatomie, acquiers une connaissance parfaite de l'autre monde, qui est l'homme.

Pendant quelques heures par jour, étudie les Saintes Écritures. Premièrement, en grec, le Nouveau Testament, et les Épîtres des Apôtres ; puis, en hébreu, l'Ancien Testament. En somme, que je voie un abîme de science : car, maintenant que tu deviens homme et te fais grand, il te faudra bientôt sortir de cette tranquillité et de ce repos d'étude, et apprendre la chevalerie et les armes pour défendre ma maison et secourir nos amis en toutes leurs affaires, contre les assauts des malfaisants.

Mais, parce que selon le sage Salomon, la sagesse n'entre point en une âme méchante, et science sans conscience n'est que ruine de l'âme, il te convient de servir, aimer et craindre Dieu et de mettre en lui toutes tes pensées et tout ton espoir. Aie les abus du monde en suspicion. Ne fais pas entrer la vanité dans ton cœur : car cette vie est transitoire, mais la parole de Dieu demeure éternelle. Sois serviable envers tous tes prochains et aime-les comme toi-même. Révère tes précepteurs, fuis la compagnie des gens auxquels tu ne veux point ressembler, et ne reçois pas en vain les grâces que Dieu t'a données.

Quand tu connaîtras avoir acquis tout le savoir, reviens vers moi, afin que je te donne ma bénédiction avant de mourir.

Mon fils, que la paix et la grâce de Notre-Seigneur soient avec toi. Amen.

D'Utopie, ce dix-septième jour du mois de mars,
Ton père,

GARGANTUA.

Cette lettre reçue et lue, Pantagruel prit un courage nouveau, s'enflamma et fut plus que jamais résolu à tirer profit de ses études ; de sorte qu'en le voyant étudier, vous auriez dit que son esprit était parmi les livres comme le feu parmi les bruyères sèches, tant il l'avait infatigable.

Comment Pantagruel trouva Panurge[1], qu'il aima toute sa vie

Un jour que Pantagruel se promenait hors de la ville, devisant et philosophant avec ses gens et quelques écoliers, il rencontra un homme beau de stature et élégant dans toutes les lignes de son corps, mais pitoyablement blessé en divers endroits, et si mal en point qu'il semblait avoir échappé aux chiens, ou mieux, il ressemblait à un cueilleur de pommes du Perche. Du plus loin qu'il le vit, Pantagruel dit à ceux qui étaient là :

– Voyez-vous cet homme qui vient par le chemin du pont de Charenton ? Par ma foi, il n'est pauvre que de fortune, car je vous assure qu'à sa physionomie Nature l'a produit de riche et noble lignée, mais les aventures qui arrivent aux gens curieux l'ont réduit à cette pénurie et indigence.

Il lui demanda :

– Mon ami, je vous prie de bien vouloir vous arrêter un peu ici, et de répondre à ce que je vous demanderai ; vous ne vous en repentirez point, car je tiens à cœur de vous aider selon mon pouvoir dans la calamité où je vous vois, car vous me faites grande pitié. Mon ami, dites-moi : qui êtes-

1. Du grec *pan-ourgos*, « apte à tout faire », donc capable de tout, du pire comme du meilleur…

vous ? d'où venez-vous ? où allez-vous ? que cherchez-vous ? et quel est votre nom ?

Le compagnon lui répondit en langue germanique :

– *Junker, Gott geb euch glück und hail. Zuvor, lieber junker, ich lass euch wissen, dass da Ihr mich von fragt, ist ein arm und erbarmglich ding*[1].

À quoi répondit Pantagruel :

– Mon ami, je n'entends point ce baragouin ; si vous voulez qu'on vous entende, parlez un autre langage.

Alors le compagnon dit :

– *Agonou dont oussys vou denaguez algarou, noud en farou zamist vou mariston ulbrou, fousquez vou brol tam bredaguez moupreton den goul houst, daguez daguez nou croupys fost bardou noflist nou grou*[2].

– J'entends, me semble-t-il, dit Pantagruel, car ou c'est le langage de mon pays d'Utopie, ou bien cela lui ressemble quant au son. Mon ami, ne savez-vous parler français ?

– Si fait, très bien, répondit le compagnon. Dieu merci, c'est ma langue naturelle et maternelle, car je suis né et ai été nourri jeune au jardin de France, c'est-à-dire en Touraine.

1. En allemand : « Jeune gentilhomme, Dieu vous donne joie et prospérité avant tout. Cher gentilhomme, je dois vous apprendre que ce que vous voulez savoir est triste et digne de pitié. »

2. Langue imaginaire.

– Donc, dit Pantagruel, racontez-nous quel est votre nom et d'où vous venez. Car, par ma foi, je vous ai déjà pris en amitié si grande que, si vous consentez à ce que je veux, vous ne bougerez jamais de ma compagnie, et vous et moi ferons une nouvelle paire d'amis, comme Énée et Achate.

– Seigneur, dit le compagnon, mon vrai et propre nom de baptême est Panurge, et j'arrive juste de Turquie, où je fus mené prisonnier lorsqu'on partit en croisade. Et volontiers je vous raconterai mes aventures, qui sont plus merveilleuses que celles d'Ulysse, mais, puisqu'il vous plaît de me retenir avec vous et que j'accepte volontiers l'offre, en promettant de ne jamais vous quitter, même si vous alliez à tous les diables, nous aurons, à un moment plus propice, assez de loisir pour les conter. Pour cette heure, je suis en nécessité pressante de me repaître : dents aiguës, ventre vide, gorge sèche, tout est prêt : si vous voulez me voir à l'œuvre, ce sera un plaisir de me voir manger.

Alors Pantagruel ordonna qu'on le menât en son logis et qu'on lui apportât force vivres. Ce qui fut fait, et il mangea très bien jusqu'au soir, et alla se coucher comme les poules, puis dormit jusqu'au lendemain à l'heure du repas.

Comment Panurge raconte la manière dont il échappa aux Turcs

– Dites-moi donc comment vous échappâtes de la main des Turcs, dit Pantagruel.

– Par Dieu, seigneur, je ne vous mentirai pas d'un mot. Ces paillards de Turcs m'avaient embroché tout lardé, comme un lapin (car j'étais si maigre qu'autrement ma chair eût été fort mauvaise viande) ; et ils me faisaient rôtir tout vif. Comme ils me rôtissaient, je me recommandai à la grâce divine, me rappelant le bon saint Laurent[1], et toujours espérai que Dieu me délivrerait de ce tourment, ce qui fut fait de manière bien étrange. Le rôtisseur s'endort. Quand je vois qu'il ne tourne plus en rôtissant, je prends avec les dents un tison par le bout où il n'est point brûlé, et je vous le jette dans le giron de mon rôtisseur ; puis un autre, que je jette du mieux que je peux sous un lit de camp qui était près de la cheminée. Incontinent, le feu prit à la paille, puis de la paille au lit, et du lit au plancher. Mais le mieux fut que le tison que j'avais jeté dans le giron de mon paillard rôtisseur lui brûla tout le poil et s'en prenait aux couilles, mais il était si puant qu'il ne le sentit pas avant le jour.

1. La légende veut que saint Laurent soit mort sur le gril.

Debout, étourdi, se levant il cria à la fenêtre tant qu'il put : « Dal baroth ! Dal baroth ! », qui est l'équivalent de : « Au feu ! Au feu ! » Et il vint droit sur moi pour me jeter directement dans le feu : il avait déjà coupé les cordes dont on m'avait lié les mains et coupait les liens des pieds ; mais le maître de la maison, entendant crier au feu et sentant la fumée, courut tant qu'il put pour y apporter son secours.

« Dès qu'il arrive, il tire la broche où j'étais embroché et tue tout raide mon rôtisseur. Puis, voyant que le cas était désespéré et que la maison était brûlée sans rémission et tout son bien perdu, mon pacha se donna à tous les diables, appelant Grilgoth, Astaroth et Gribouillis par neuf fois. En voyant cela, j'eus peur, craignant que les diables venus pour emporter ce fou ne m'emportassent aussi. "Je suis déjà à demi rôti, me disais-je, mes lardons seront cause de mon mal, car ces diables-là sont friands de lardons !" Mais je fis le signe de la croix en criant : *Agios, athanatos, ho theos*[1] *!* Voyant cela, mon vilain pacha voulut se tuer de ma broche et s'en percer le cœur : il la mit contre sa poitrine, mais elle ne pouvait la transpercer, car elle n'était pas assez pointue ; il poussait tant qu'il pouvait, mais il n'arrivait à rien. Alors je vins le

1. En grec : « Dieu saint et immortel ! »

trouver, en disant : “ Messire Bougrino[1], tu perds ici ton temps, car tu ne te tueras jamais ainsi, mais tu te blesseras de quelque coup dont tu souffriras toute ta vie entre les mains des barbiers. Mais, si tu veux, je te tuerai ici tout net, en sorte que tu ne sentiras rien. Et crois-m'en, j'en ai tué bien d'autres qui s'en sont bien trouvés. – Ah, mon ami, dit-il, je t'en prie, et si tu le fais je te donne ma bourse : tiens, la voilà.”

« Foi d'homme de bien, je ne mens pas d'un seul mot. Je le bande d'une méchante braie[2] que je trouve là à demi brûlée, et vous le lie grossièrement pieds et mains, de mes cordes. Puis je lui passai ma broche à travers la gargamelle et le pendis aussi. Et je vous attise un beau feu en dessous, et je vous flambais mon milord comme on fait des harengs saurs dans la cheminée. Puis, prenant sa bourse, je m'enfuis au galop. Et Dieu sait si je sentais mon épaule, qui était comme celle d'un mouton rôti.

« Quand je fus descendu dans la rue, je trouvai tout le monde qui était accouru au feu, avec force d'eau pour l'éteindre. Me voyant ainsi à demi rôti, ils eurent naturellement pitié de moi, jetèrent toute leur eau sur moi et me rafraîchirent joyeusement, ce qui me fit fort grand bien. Puis ils me

1. Bougrino = bougre, hérétique.

2. Haut de chausses.

donnèrent un peu de nourriture, mais je ne mangeai guère, car ils ne me donnaient que de l'eau en accompagnement, selon leur tradition.

«Pendant qu'ils s'amusaient de moi, le feu triomphait, ne me demandez pas comment, et prenait plus de deux mille maisons, jusqu'à ce que quelqu'un le vît et s'écriât : "Ventre de Mahomet, toute la ville brûle, et nous nous amusons ici!" Ainsi, chacun s'en va à sa chacunière. De mon côté, je prends mon chemin vers la porte de la ville. Quand je fus sur un petit tertre, je me retourne, comme la femme de Loth, et vois toute la ville brûlant comme Sodome et Gomorrhe: j'en fus si content que je faillis me conchier de joie. Mais Dieu m'en punit bien.

– Comment? dit Pantagruel.

– Comme je regardais en grande liesse ce beau feu, en me moquant et en disant: «Ah pauvres puces, ah pauvres souris, vous aurez mauvais hiver, le feu est en votre logis!», sortirent de la ville plus de six cents chiens gros et maigres, tous ensemble, fuyant le feu. Ils coururent droit sur moi, sentant l'odeur de ma paillarde chair à demi rôtie, et ils m'auraient dévoré sur l'heure si mon bon ange ne m'avait inspiré.

– Et que fis-tu, malheureux? dit Pantagruel.

– Soudain je me souviens de mes lardons et les jette au milieu d'eux: alors les chiens se battent entre eux à belles dents, à qui aurait le lardon. Par ce moyen, ils me laissèrent, et je les laisse aussi se peler l'un l'autre. Ainsi je m'échappe, gaillard et joyeux, et vive la rôtisserie !

Des mœurs et tempérament de Panurge

Panurge était de stature moyenne, ni trop grand, ni trop petit, et avait le nez un peu aquilin, fait en manche de rasoir. Il avait alors environ trente-cinq ans, était fin à dorer comme une dague de plomb, bien galant homme de sa personne, sinon qu'il était un peu paillard et sujet de nature à une maladie qu'on appelait en ce temps-là : « Faute d'argent est douleur sans pareille. » Toutefois, il avait soixante-trois manières d'en trouver toujours quand il en avait besoin. La plus honorable et la plus commune était par des larcins furtivement faits. Malfaisant, batteur de pavé, coureur de nuit, s'il en était à Paris ; et toujours il machinait quelque chose contre les sergents du guet.

Il persécutait les pauvres maîtres ès arts et les théologiens plus que les autres, et quand il rencontrait l'un d'eux dans la rue, il ne manquait jamais de lui faire quelque tour, soit en mettant un étron dans son bonnet, soit en lui attachant des petites queues de renards ou des oreilles de lièvres par-derrière.

Dans son habit, il avait plus de vingt-six petites poches et bourses toujours pleines, l'une d'un peu de plomb et d'un petit couteau effilé avec lequel il coupait les bourses ; une autre, de vinaigre qu'il jetait aux yeux de ceux qu'il rencontrait ; une autre de bardanes empennées de petites plumes d'oisons ou de chapons, qu'il jetait sur les robes et bonnets des bonnes gens. Souvent, il leur en faisait de belles cornes qu'ils portaient par toute la ville, quelquefois toute leur vie. Dans une autre, il avait deux ou trois miroirs ardents, dont il faisait souvent enrager les hommes et les femmes, et leur faisait perdre contenance à l'église, car il disait qu'il n'y avait qu'une antistrophe entre femme folle à la messe et femme molle à la fesse. Dans une autre enfin, il avait une provision de fil et d'aiguilles, dont il faisait mille petites diableries.

Comment Pantagruel partit de Paris, à la nouvelle que les Dipsodes[1] envahissaient le pays des Amaurotes

Peu de temps après, Pantagruel apprit que son père Gargantua avait été transféré au pays des Fées par Morgane, et aussi que les Dipsodes avaient

1. Du grec *dipsa*, la « soif ». Les Dipsodes sont donc des « soiffards ».

franchi leurs frontières, saccagé une grande partie du pays d'Utopie et assiégeaient à présent la grande ville des Amaurotes. Alors il partit de Paris sans dire adieu à quiconque, car l'affaire demandait de la rapidité, et il alla à Rouen. Partant de Rouen, ils arrivèrent à Honfleur où ils prirent la mer, Pantagruel, Panurge, Épistémon, Eusthènes et Carpalim[1]. Ils attendaient un vent favorable et calfataient leur vaisseau, quand Pantagruel reçut d'une dame de Paris (qu'il avait entretenue assez longtemps) une lettre portant cette inscription :

Au plus aimé des belles et moins loyal des preux,
P.N.T.G.R.L.

Quand Pantagruel eut lu l'inscription, il fut bien ébahi, et, demandant au messager le nom de celle qui l'avait envoyée, il ouvrit la lettre et ne trouva rien à l'intérieur, seulement un anneau d'or, avec un diamant taillé plat. Alors il appela Panurge, qui lui dit que la feuille de papier était écrite, mais que c'était avec une telle subtilité que l'on n'y voyait point d'écriture. Et, pour le savoir, il la mit auprès du feu, pour voir si l'écriture était faite avec du sel ammoniac détrempé dans de l'eau ; il la regarda ensuite à la chandelle, pour voir si elle n'était point écrite avec du jus d'oignons

1. Eusthènes, du grec *eusthénès*, « vigoureux » ; et Carpalim, du grec *karpalimos*, « agile », « rapide ».

blancs. Puis il en frotta une partie d'huile de noix, pour voir si elle n'était point écrite de lessive de figuier. Puis il en frotta un coin avec de la cendre d'un nid d'hirondelle, pour voir si elle était écrite de la rosée qu'on trouve dans les pommes d'alicacabut[1]. Voyant qu'il n'y comprenait rien, il dit à Pantagruel :

– Maître, je n'y vois rien, et je crois qu'il n'y a rien d'autre que l'anneau. Examinons-le.

Alors, en le regardant, ils trouvèrent écrit à l'intérieur, en hébreu : « *Lamma sabacthani*[2] » ; ils appelèrent Épistémon, lui demandant ce que cela voulait dire. À quoi celui-ci répondit que c'étaient des mots hébraïques signifiant : « Pourquoi m'as-tu abandonnée ? » Panurge s'écria soudain :

– Je comprends ! Voyez-vous ce diamant ? C'est un diamant faux. Voilà l'explication de ce que la dame veut dire : « Dis, amant faux, pourquoi m'as-tu abandonnée ? »

Pantagruel comprit immédiatement et se souvint comment, à son départ, il n'avait point dit adieu à la dame. Il en était tout triste et fût volontiers retourné à Paris pour faire la paix avec elle,

1. Autre nom du physalis, plante vivace aussi appelée « amour en cage ».

2. « *Pourquoi m'as-tu abandonné ?* », en araméen. Les dernières paroles prononcées par le Christ sur la Croix.

mais Épistémon lui remit en mémoire la séparation d'Énée et de Didon : quand le navire est à l'ancre, quand la nécessité presse, il faut couper la corde plutôt que perdre du temps à la délier.

De fait, une heure après, le vent de nord-nord-ouest se leva : ils donnèrent pleines voiles et prirent la haute mer. En peu de jours, passant par Porto-Santo, Madère, les îles Canaries, le cap Blanc, le Cap-Vert, le cap de Bonne-Espérance, ils firent escale au royaume de Mélinde[1]. Partant de là, ils firent voile à la tramontane, passant par Médèn, Outi, Ouden, Gelasim[2], les îles des Fées, et, finalement, ils arrivèrent au port d'Utopie, éloigné de la ville des Amaurotes d'un peu plus de trois lieues.

Quand ils se furent un peu rafraîchis à terre, Pantagruel dit :

– Mes enfants, la ville n'est pas loin d'ici ; avant de continuer, il serait bon de décider ce qu'il faut faire. Êtes-vous prêts à vivre et mourir avec moi ?

– Seigneur, oui, dirent-ils tous. Ayez confiance en nous comme en vos propres doigts.

– Eh bien, dit-il, il n'y a qu'un point qui tienne mon esprit en doute : c'est que je ne sais en quel ordre ni en quel nombre sont les assiégeants.

1. Sur la côte de l'actuel Kenya.

2. Termes grecs signifiant : « rien », « rien », « rien » et « ridicule ».

Si je le savais, j'irais plus assuré : réfléchissons ensemble au moyen de le savoir.

Tous ensemble, ils répondirent :

– Laissez-nous y aller voir et attendez-nous ici.

– Moi, dit Panurge, j'entreprends d'entrer dans leur camp, au milieu des gardes et du guet, et de banqueter avec eux, sans être reconnu de personne : le diable ne me tromperait pas.

– Moi, dit Épistémon, je connais tous les stratagèmes et prouesses des vaillants capitaines et champions du temps passé, et toutes les ruses de la discipline militaire : j'irai, et même si je suis découvert, j'échapperai en leur faisant croire tout ce qu'il me plaira.

– Moi, dit Eusthènes, j'entrerai par leurs tranchées, malgré le guet et tous les gardes, car je leur passerai sur le ventre et leur romprai bras et jambes, même s'ils sont aussi forts que le diable.

– Moi, dit Carpalim, j'y entrerai si les oiseaux y entrent, car j'ai le corps si léger que j'aurai sauté par-dessus toutes leurs tranchées avant qu'ils m'aient aperçu.

Comment Panurge, Carpalim, Eusthènes et Épistémon, compagnons de Pantagruel, défirent bien subtilement six cent soixante cavaliers

Alors qu'il disait cela, ils virent six cent soixante cavaliers montés sur des chevaux qui accouraient pour voir quel navire avait abordé au port : ils galopaient à bride abattue pour les capturer s'ils le pouvaient.

Alors Panurge tira deux grandes cordes du navire et les attacha au tour qui était sur le tillac ; il les mit en terre, en fit un long circuit et dit à Épistémon :

– Entrez dans le navire, et quand je vous sonnerai, tournez le tour qui est sur le tillac, en ramenant à vous ces deux cordes.

Puis il dit à Eusthènes et à Carpalim :

– Enfants, attendez ici et offrez-vous franchement à ces ennemis. Obéissez-leur et faites semblant de vous rendre. Mais prenez garde à ne point entrer dans le cercle de ces cordes : tenez-vous toujours au-dehors.

Il entra aussitôt dans le navire, prit une botte de paille et de la poudre à canon, il les répandit dans le cercle des cordes et se tint à côté avec un charbon ardent.

Les cavaliers arrivèrent au grand galop, et les

premiers choquèrent même le navire ; comme le rivage glissait, ils tombèrent, eux et leurs chevaux ; ils étaient au nombre de quarante-quatre. Voyant cela, les autres approchèrent, pensant qu'on leur avait résisté à l'arrivée. Mais Panurge leur dit :

– Messieurs, je crois que vous vous êtes fait mal, pardonnez-nous : car ce n'est pas notre faute, mais celle de l'eau de mer qui est toujours glissante. Nous nous rendons.

Ses deux compagnons en dirent autant, ainsi qu'Épistémon, qui était sur le tillac.

Pendant ce temps, Panurge s'éloignait, et voyant que tous étaient dans le cercle des cordes et que ses deux compagnons s'en étaient éloignés, soudain il cria à Épistémon :

– Tire, tire !

Alors Épistémon commença à tirer, et les deux cordes s'empêtrèrent autour des chevaux, les précipitant à terre bien aisément avec leurs chevaucheurs. Eux, voyant cela, tirèrent l'épée pour les couper. Panurge mit le feu et les fit tous brûler là, comme des âmes damnées, hommes et chevaux, nul n'en réchappa, sauf un qui était monté sur un cheval turc et qui cherchait à fuir. Mais, quand Carpalim l'aperçut, il lui courut après avec une telle vitesse qu'il le rattrapa en moins de cent pas, et, sautant sur la croupe de son cheval, il le ceignit par-derrière et le ramena au navire.

Cette défaite parachevée, Pantagruel fut bien joyeux et loua merveilleusement l'intelligence de ses compagnons. Il les fit se rafraîchir et se rassasier sur le rivage, leur prisonnier avec eux. Le pauvre diable craignait que Pantagruel ne le dévorât tout entier, ce qu'il eût fait, tant il avait la gorge large, aussi facilement que vous le feriez d'une dragée.

– Mais, dit Panurge, il faut penser à notre affaire et au moyen par lequel nous pourrons prendre le dessus sur nos ennemis.

– C'est bien pensé, dit Pantagruel.

Il demanda au prisonnier :

– Mon ami, dis-nous la vérité et ne nous mens en rien, si tu ne veux pas être écorché tout vif, car c'est moi qui mange les petits enfants. Expose-nous entièrement l'ordre, le nombre et la force de l'armée.

À quoi le prisonnier répondit :

– Seigneur, sachez en vérité que, dans l'armée, il y a trois cents géants, tous armés de pierres de taille, grands à merveille, mais pas tant que vous, sauf un qui est leur chef et qui s'appelle Loup-Garou : il est tout armé d'enclumes des Cyclopes. Il y a cent soixante-trois mille fantassins armés de peaux de lutins, forts et courageux ; trois mille quatre cents hommes d'armes, trois mille six cents canons doubles, des arbalètes sans nombre et quatre cent cinquante mille putains, belles comme des déesses.

– Voilà pour moi, dit Panurge.

– D'accord, dit Pantagruel, mais le roi y est-il ?

– Oui, seigneur, dit le prisonnier, il y est en personne, et nous le nommons Anarche[1], roi des Dipsodes, qui veut dire « gens altérés », car vous ne vîtes jamais des gens si altérés, ni buvant plus volontiers. Sa tente est sous la garde des géants.

– C'est assez, dit Pantagruel. Enfants, êtes-vous décidés à venir avec moi ?

Panurge lui répondit :

– Dieu confonde celui qui vous laissera ! J'ai déjà pensé au moyen par lequel je vous les rendrai tous morts comme des porcs.

– Eh bien, mes enfants, dit Pantagruel, mettons-nous en marche.

1. Du grec, *anarkhia* : « absence de chef », d'où le mot « anarchie ».

Comment Pantagruel vainquit, bien étrangement, les Dipsodes et les géants

Pantagruel appela le prisonnier et le renvoya, en disant :

– Va-t'en trouver ton roi dans son camp et donne-lui des nouvelles de ce que tu as vu. Je lui prouverai, par dix-huit cent mille combattants et sept mille géants, tous plus grands que moi, qu'il a agi follement en assaillant ainsi mon pays.

Il lui donna une boîte pleine d'euphorbe[1] et de poivre des montagnes en lui commandant de la porter à son roi et de lui dire que, s'il pouvait en manger une once sans boire, il pourrait résister à Pantagruel sans peur.

Le prisonnier parti, Pantagruel dit à ses gens :

– Enfants, mon intention est que nous chargions sur eux à l'heure du premier somme.

Mais laissons ici Pantagruel avec ses compagnons, et parlons du roi Anarche et de son armée. Quand le prisonnier fut arrivé, il alla trouver le roi et lui raconta comment était venu un grand géant nommé Pantagruel, qui avait vaincu et fait rôtir cruellement tous les cavaliers, et que lui seul en avait réchappé pour lui porter la nouvelle. Puis

1. Cette plante est connue pour être très toxique.

il lui donna la boîte. Mais, dès que le roi en eut avalé une cuillerée, il lui vint un tel échauffement de la gorge avec ulcération de la luette, que la langue lui pela. Pour y remédier, il ne trouva de soulagement que dans le fait de boire sans rémission, car, dès qu'il ôtait le gobelet de sa bouche, la langue lui brûlait. Ainsi, on ne cessait de lui verser du vin dans la gorge. Quand ses capitaines s'en aperçurent, ainsi que ses pachas et ses gardes, ils goûtèrent aux dites drogues pour en éprouver la vertu assoiffante. Mais il leur en prit comme à leur roi. Et tous se mirent si bien à flaconner que le bruit se répandit dans tout le camp : le prisonnier était de retour, ils devaient soutenir l'assaut le lendemain, et le roi, les capitaines et ses gardes s'y préparaient en buvant à tire-larigot. Alors toute l'armée se mit à chopiner et à trinquer de même. En somme, ils burent tant et tant qu'ils s'endormirent comme des porcs, pêle-mêle au milieu du camp.

Maintenant, retournons au bon Pantagruel et racontons comment il se comporta dans cette affaire. Il prit le mât de leur navire dans sa main comme un bourdon, mit dans la hune deux cent trente-sept tonneaux de vin blanc d'Anjou, attacha à sa ceinture une barque pleine de sel et se mit en chemin avec ses compagnons. Quand il fut près du camp des ennemis, Panurge lui dit :

– Seigneur, voulez-vous bien faire ? Descendez ce vin d'Anjou de la hune et buvons ici à la bretonne.

À quoi Pantagruel condescendit volontiers, et ils burent si bien qu'il n'en demeura pas une seule goutte des deux cent trente-sept tonneaux, excepté un flacon que Panurge remplit pour lui et qu'il appelait son *vade-mecum*. Ensuite, Panurge donna à manger à Pantagruel quelque diable de drogue composée de lithontripon, néphrocatarticon, cotignac cantharidisé[1], et autres espèces diurétiques.

Soudain, il prit à Pantagruel l'envie de pisser, à cause des drogues que lui avait données Panurge, et il pissa dans le camp des ennemis, si bien et si copieusement qu'il les noya tous. Il y eut un déluge extraordinaire sur dix lieues à la ronde.

Ô qui pourra maintenant raconter comment Pantagruel se comporta contre les trois cents géants ? Ô ma Muse, ma Calliope, ma Thalie, inspire-moi à cette heure ! Rends-moi mes esprits, car voici la difficulté de pouvoir exprimer l'horrible bataille qui fut menée.

1. Des remèdes censés guérir les maux de reins.

Comment Pantagruel vainquit les trois cents géants et Loup-Garou, leur capitaine

Les géants, voyant que tout leur camp était noyé, emportèrent leur roi Anarche sur leurs épaules, du mieux qu'ils purent, comme le fit Énée avec son père Anchise lors de l'incendie de Troie. Quand Panurge les aperçut, il dit à Pantagruel :

– Seigneur, voilà les géants qui sortent : frappez dessus avec votre mât, et galamment, à la vieille escrime. Car c'est à cette heure qu'il se faut montrer homme de bien. De notre côté, nous ne vous ferons pas défaut. Et hardiment, je vous en tuerai beaucoup. Car quoi ? David tua bien Goliath facilement. Et puis ce gros paillard d'Eusthènes, qui est fort comme quatre bœufs, ne s'économisera pas. Prenez courage et frappez d'estoc et de taille.

– Du courage, dit Pantagruel, j'en ai pour plus de cinquante francs. Mais quoi ? Hercule n'osa jamais rien entreprendre contre deux.

– C'est bien chié dans mon nez, dit Panurge. Vous comparez-vous à Hercule ? Vous avez plus de force aux dents et plus de sens au cul que n'en eut jamais Hercule. L'homme vaut ce qu'il s'estime.

Comme ils disaient ces paroles, voici que

Loup-Garou arrive, avec tous ses géants. Voyant Pantagruel tout seul, il fut pris de témérité et d'outrecuidance, dans l'espoir qu'il avait d'occire le pauvre Pantagruel.

Alors il dit à ses compagnons géants :

– Paillards de plat pays, par Mahomet, si l'un de vous entreprend de combattre ceux-ci, je le ferai mourir cruellement. Je veux que vous me laissiez combattre tout seul : vous aurez votre passe-temps à nous regarder.

Les géants se retirèrent donc près de leur roi, et Panurge avec ses compagnons.

Loup-Garou s'avança droit sur Pantagruel avec une masse toute d'acier, pesant neuf mille sept cents quintaux, au bout de laquelle il y avait treize pointes en diamant, dont la plus petite était aussi grosse que la plus grande cloche de Notre-Dame de Paris. Et elle était ensorcelée, si bien qu'elle ne pouvait jamais se briser, mais au contraire qu'elle brisait instantanément tout ce qu'elle touchait.

Pantagruel, voyant que Loup-Garou approchait la gueule ouverte, s'écria tant qu'il put :

– À mort, ribaud ! À mort !

Puis, de sa barque qu'il portait à la ceinture, il lui jeta du sel, dont il lui remplit la gorge, le gosier, le nez et les yeux. Loup-Garou, irrité, lui porta un coup de sa masse, voulant lui rompre la cervelle. Pantagruel fut habile et eut toujours bon pied bon œil. Il fit du pied gauche un pas en arrière. Mais le coup tomba sur la barque, laquelle se rompit en quatre mille quatre-vingt-six morceaux, et versa le reste du sel en terre. Voyant cela, Pantagruel déplia ses bras et le frappa du bout de son mât : il le frappa entre le cou et les épaules, puis lui piqua les couilles avec le haut bout de son mât. Or celui-ci se rompit à trois doigts de la poignée. Il en fut plus étonné qu'un fondeur de cloches et s'écria :

– Ah, Panurge, où es-tu ?

L'entendant, Panurge dit au roi et aux géants :

– Par Dieu ! Ils se feront mal si on ne les sépare pas.

Mais les géants étaient aussi contents que s'ils étaient à la noce. Carpalim voulut se lever pour secourir son maître, mais un géant lui dit :

– Par Goulfarin, neveu de Mahomet, si tu bouges d'ici, je te mettrai au fond de mes chausses, comme on fait d'un suppositoire.

Pendant ce temps, Loup-Garou menaçait Pantagruel en disant :

– Méchant, à cette heure je te hacherai comme chair à pâté. Jamais tu n'assoifferas les pauvres gens.

Pantagruel lui donna alors un si grand coup de pied dans le ventre qu'il le projeta en arrière, les jambes en l'air, et vous le traîna ainsi, à l'écorchecul, pendant plus d'un trait d'arc. Loup-Garou s'écriait, rendant le sang par la gorge :

– Mahomet ! Mahomet ! Mahomet !

À ce cri, tous les géants se levèrent pour le secourir. Comme ils approchaient, Pantagruel prit Loup-Garou par les deux pieds et, avec le corps de Loup-Garou armé d'enclumes, frappa ces géants armés de pierres de taille, et les abattit comme un maçon abat un mur. Pendant ce temps, Panurge, Carpalim et Eusthènes égorgeaient ensemble ceux qui étaient à terre. Ditesvous bien qu'il n'en échappa pas un seul, et Pantagruel ressemblait à un faucheur qui de sa faux (c'était Loup-Garou) abattait l'herbe d'un pré (les géants). Mais, à cette escrime, Loup-Garou perdit la tête, quand Pantagruel en abattit un qui était armé jusqu'aux dents de pierres de grès dont un éclat coupa la gorge à Épistémon. Finalement, voyant que tous étaient morts, il jeta de toutes ses forces le corps de Loup-Garou contre la ville. En tombant, il tua un chat brûlé, une chatte mouillée et un oison bridé.

Comment Épistémon, qui avait la tête tranchée, fut guéri habilement par Panurge. Et des nouvelles des diables et des damnés

Cette défaite gigantesque parachevée, Pantagruel se retira à l'endroit où étaient les bouteilles et appela Panurge et les autres, lesquels vinrent à lui sains et saufs, excepté Eusthènes, qu'un des géants avait quelque peu égratigné au visage pendant qu'il l'égorgeait, et Épistémon, qui ne se montra point. Pantagruel en eut tant de chagrin qu'il voulut se tuer, mais Panurge lui dit :

– Attendez un peu, seigneur, nous le chercherons parmi les morts et verrons ce qu'il en est.

Ainsi donc, comme ils le cherchaient, ils le trouvèrent tout raide mort, et la tête entre ses bras, toute sanglante. Panurge dit :

– Enfants, ne pleurez point. Il est encore tout chaud, je vous le guérirai et vous le rendrai aussi sain qu'il fut jamais.

Sur ces mots, il prit la tête ; Eusthènes et Carpalim portèrent le corps à l'endroit où ils avaient banqueté. Panurge nettoya très bien de beau vin blanc le cou, puis la tête, il les sinapisa de poudre de diamerdis qu'il avait toujours dans une de ses poches. Après il les oignit de je ne sais quel onguent et les ajusta veine contre veine, nerf contre nerf, vertèbre contre vertèbre. Cela fait, il lui fit deux ou trois points d'aiguille, afin qu'elle ne retombe pas; puis mit tout autour un peu de l'onguent qu'il appelait ressuscitatif.

Et soudain Épistémon commença à respirer, à ouvrir les yeux, bâiller, éternuer, puis il fit un gros pet de ménage, ce qui fit dire à Panurge:

– Assurément, le voilà guéri.

C'est ainsi qu'Épistémon fut habilement guéri, excepté qu'il fut enroué plus de trois semaines et eut une toux sèche qu'il ne put jamais guérir, sinon en buvant.

Il commença alors à parler, disant qu'il avait vu les diables, parlé familièrement à Lucifer et fait grande chère aux champs Élysées. Il assurait devant tous que les diables étaient bons compagnons. En ce qui concerne les damnés, il dit qu'il était bien marri que Panurge l'ait si tôt rappelé à la vie.

– Car je prenais, dit-il, un singulier passe-temps à les voir. On ne les traite pas si mal que vous le penseriez, mais leur état est changé d'une étrange façon. Car je vis Alexandre le Grand qui rapetassait de vieilles chausses et qui gagnait ainsi sa pauvre vie.

« Romulus était saunier,

« Démosthène, vigneron,

« Cicéron, attise-feu,

« Énée, menuisier,

« Achille, teigneux,

« Ulysse, faucheur,

« Priam vendait les vieux drapeaux,

« Lancelot du Lac était écorcheur de chevaux morts,

« Tous les chevaliers de la Table ronde étaient de pauvres gagne-deniers ramant pour passer les rivières Styx, Achéron, Léthé ;

« Jules César et Pompée étaient goudronneurs de navires ;

« Le pape Jules était crieur de petits pâtés ;

« Le pape Sixte, graisseur de vérole ;

« Mélusine était souillon de cuisine ;

« Cléopâtre, vendeuse d'oignons ;

« Hélène, courtière en chambrières ;

« Didon vendait des champignons ;

« De cette façon, ceux qui avaient été grands seigneurs ici-bas gagnaient leur pauvre, méchante et paillarde vie là-bas. Au contraire, les philosophes et ceux qui avaient été indigents en ce monde étaient grands seigneurs à leur tour dans l'autre. »

Comment Pantagruel couvrit de sa langue toute une armée, et ce que l'auteur vit dans sa bouche

Quand Pantagruel et toute sa bande entrèrent sur les terres des Dipsodes, tout le monde se rendit à lui, et on lui apporta les clefs des villes où il allait, sauf les Almyrodes[1], qui voulurent résister.

– Allons, dit Pantagruel, qu'on me les mette à sac !

Tous se mirent donc en ordre de bataille, comme prêts à donner l'assaut. Mais, en chemin, alors qu'ils traversaient une grande campagne, ils furent surpris par une grosse averse. Ils commencèrent à se trémousser et à se serrer les uns contre les autres. Voyant cela, Pantagruel leur fit dire par les capitaines qu'ils se missent en ordre, et qu'il voulait les couvrir. Alors ils se mirent en bon ordre et bien serrés. Pantagruel tira sa langue seulement à demi et les recouvrit comme une poule le fait pour ses poussins.

Pendant ce temps, moi, qui vous fais ces contes si véritables, je m'étais caché sous une feuille de bardane. Mais quand je les vis ainsi bien couverts, je m'en allai vers eux pour me mettre à l'abri. Je ne le pus pas, tant ils étaient nombreux. Donc, du

1. Almyrodes = du grec *almygros*, « salin », « salé ». Le peuple des « salés ».

mieux que je pus, je montai par-dessus et cheminai bien deux lieues sur sa langue, jusqu'à entrer dans sa bouche. Mais, ô dieux et déesses, que vis-je là ? Que Jupiter me confonde de sa foudre à trois pointes si je mens. J'y cheminai comme l'on fait à Sainte-Sophie de Constantinople, et j'y vis des rochers grands comme les monts danois, je crois que c'étaient les dents, de grands prés, de grandes forêts, de fortes et grosses villes, non moins grandes que Lyon et Poitiers.

Le premier que je trouvai, ce fut un bonhomme qui plantait des choux. Tout ébahi, je lui demandai :

– Mon ami, que fais-tu ici ?

– Je plante des choux, dit-il.

– Pourquoi et comment ? dis-je.

– Ah, monsieur, nous ne pouvons pas être tous riches. Je gagne ainsi ma vie, et je les porte à vendre au marché dans la cité qui se trouve là derrière.

– Jésus, dis-je, y a-t-il ici un nouveau monde[1] ?

– Certes, dit-il, mais il n'est pas nouveau.

– D'accord, dis-je, mais, mon ami, comment s'appelle cette ville où tu portes tes choux ?

– Elle s'appelle Aspharage[2], dit-il, et ses habi-

1. Tout ce passage fait référence à la découverte de l'Amérique.

2. Aspharage = du grec *spharagos*, le « gosier », la « gorge ».

tants sont chrétiens ; ce sont des gens de bien, qui vous feront grande chère.

Bref, je décidai d'y aller.

J'entrai dans la ville, que je trouvai fort belle. Mais, à l'entrée, les portiers me demandèrent mon laissez-passer, ce dont je fus fort ébahi. Je leur demandai :

– Messieurs, y a-t-il ici danger de peste ?

– Ô seigneur, dirent-ils, l'on se meurt ici à tel point que le chariot[1] court par les rues.

– Jésus ! dis-je. Et où ?

À quoi ils répondirent que c'était à Larynge et Pharynge, qui sont deux grosses villes comme Rouen et Nantes, riches et bien marchandes. La cause de la peste était une puante et infecte exhalaison qui sortait des abîmes depuis peu, et dont plus de vingt-deux cent soixante mille et seize personnes étaient mortes depuis huit jours. Alors je réfléchis, calcule et trouve qu'il s'agissait d'une puante haleine venue de l'estomac de Pantagruel alors qu'il mangeait tant d'aillade.

Partant de là, je passai entre les rochers qui étaient ses dents et fis tant que je montai sur l'une d'elles. Là, je trouvai les plus beaux lieux du monde, de beaux grands jeux de paume, de belles galeries, de belles prairies, force vignes et une

1. La charrette qui recueillait les corps des pestiférés.

infinité de petites villas à la mode italienne dans des champs pleins de délices. J'y demeurai bien quatre mois et ne fis jamais aussi bonne chère qu'alors.

Puis je descendis par les dents de derrière pour arriver aux mâchoires, mais, en passant, je fus détroussé par des brigands dans une grande forêt située du côté des oreilles. Puis je trouvai une petite bourgade sur la descente – j'ai oublié son nom –, où je fis encore meilleure chère que jamais et gagnai un peu d'argent pour vivre. Et savez-vous comment ? À dormir, car on loue là les gens à la journée pour qu'ils dorment, et ils gagnent cinq à six sous par jour. Mais ceux qui ronflent bien fort gagnent bien sept sous et demi. J'y racontai aux sénateurs comment on m'avait détroussé dans la vallée. Ils me dirent que, en vérité, les gens par-delà les dents étaient de mauvais vivants et brigands de nature. À cela, je sus que, ainsi que nous avons les contrées de deçà et delà les monts, eux aussi avaient le deçà et delà des dents. Mais il fait bien meilleur en deçà, et il y a un meilleur air.

Je commençai à penser qu'il est bien vrai ce que l'on dit, que la moitié du monde ne sait comment l'autre vit. Vu que nul n'avait encore décrit ce pays-là, où il y a plus de vingt-cinq royaumes habités, sans compter les déserts et un gros bras de mer, j'en ai composé un grand livre intitulé *L'Histoire des Gorgias*, c'est ainsi que je les nommai, parce qu'ils demeuraient dans la gorge de mon maître Pantagruel.

Finalement, je voulus m'en retourner et, passant par la barbe, me jetai sur ses épaules. De là, je dévale jusqu'à terre et tombe devant lui. Quand il m'aperçut, il me demanda :

– D'où viens-tu, Alcofribas ?

Je lui répondis :

– De votre gorge, monsieur.

– Et depuis quand y es-tu ? dit-il.

– Depuis que vous marchiez contre les Almyrodes.

– Il y a, dit-il, plus de six mois. Et de quoi vivais-tu ? Que mangeais-tu ? Que buvais-tu ?

– Seigneur, la même chose que vous et, parmi les morceaux les plus friands qui passaient par votre gorge, je prenais ma part au passage.

– D'accord, dit-il, mais où chiais-tu ?

– Dans votre gorge, monsieur.

– Ha, ha, tu es un gentil compagnon, dit-il. Nous avons, avec l'aide de Dieu, conquis tout le pays des Dipsodes : je te donne la châtellenie de Salmigondin.

– Grand merci, dis-je, monsieur. Vous me faites plus de bien que je ne l'ai mérité.

Comment Pantagruel fut malade, et la façon dont il guérit

Peu de temps après, le bon Pantagruel tomba malade et souffrit tant de l'estomac qu'il ne pouvait boire ni manger. Et comme un malheur ne vient jamais seul, il fut pris d'une chaude-pisse qui le tourmenta plus que vous ne penseriez. Mais ses médecins le secoururent très bien et, avec force remèdes apaisants et diurétiques, lui firent pisser son malheur. Son urine était si chaude que, depuis ce temps-là, elle n'est point encore refroidie. Vous en trouvez en France en divers lieux, selon l'endroit où elle prit son cours, et on l'appelle les bains chauds, comme à Cauterets, à Dax, à Bourbonne-les-Bains, et ailleurs.

Je m'ébahis grandement d'un tas de fous philosophes et médecins qui perdent leur temps à disputer d'où vient la chaleur desdites eaux, si c'est à cause du soufre, de l'alun ou du salpêtre. Mieux leur vaudrait aller se frotter le cul au panicaut que de perdre ainsi le temps à disputer de ce dont ils ne savent l'origine : lesdits bains sont chauds parce qu'ils sont issus d'une chaude-pisse du bon Pantagruel.

Or, pour vous dire comment il guérit de son mal principal, il vous faut entendre que, par le conseil des médecins, il fut décrété qu'on lui ôterait ce qui lui faisait mal à l'estomac. Pour cela, on fit seize grosses pommes de cuivre, de telle façon qu'on pouvait les ouvrir par le milieu et qu'on les fermait grâce à un ressort.

Dans l'une, entra l'un de ses gens portant une lanterne et un flambeau allumé. Ainsi, Pantagruel l'avala comme une petite pilule. Dans cinq autres entrèrent d'autres gros valets, chacun portant un pic au cou. Dans trois autres entrèrent trois paysans, avec chacun une pelle au cou. Dans sept autres entrèrent sept porteurs de fagots, chacun portant une corbeille au cou. Elles furent avalées comme des pilules. Quand elles furent dans l'estomac, chacun défit son ressort et sortit de sa cabane, en premier celui qui portait la lanterne. Ainsi, ils cherchèrent sur plus d'une demi-lieue où étaient les humeurs corrompues. Finalement, ils trouvèrent un monceau d'ordures : alors les pionniers frappèrent dessus pour les détacher, et les autres, avec les pelles, en emplirent les corbeilles. Quand tout fut bien nettoyé, chacun se retira dans sa pomme.

Cela fait, Pantagruel se força à vomir et les mit facilement dehors. Là, ils sortirent joyeusement de leurs pilules. Par ce moyen, il fut guéri et amené à sa première convalescence.

La conclusion du présent livre et l'excuse de l'auteur

Or, messieurs, vous avez ouï un commencement de l'histoire horrifique de mon maître et seigneur Pantagruel. J'achèverai ici ce livre car la tête me fait un peu mal, et je sens bien que les registres de mon cerveau sont quelque peu brouillés de cette purée de septembre. Vous aurez le reste de l'histoire lors des prochaines foires de Francfort. Bonsoir, messieurs, pardonnez-moi et ne pensez pas tant à mes fautes que vous ne pensez aux vôtres.

LE TIERS LIVRE DES FAITS ET DITS HÉROÏQUES DU BON PANTAGRUEL

Composé par M. François Rabelais, docteur en médecine

Comment Pantagruel transporta en Dipsodie une colonie d'Utopiens

Pantagruel, après avoir entièrement conquis le pays de Dipsodie, y transporta une colonie d'Utopiens, au nombre de 9876543210 hommes, sans compter les femmes et petits enfants, artisans de tous métiers et professeurs de toutes sciences libérales, pour rafraîchir ledit pays qui était mal habité et désert en grande partie.

Vous noterez donc ici que la manière d'entretenir et retenir un pays nouvellement conquis n'est pas (contrairement à l'opinion erronée de certains esprits tyranniques, à leur grand dam et déshonneur) de piller, forcer, ruiner, vexer et gouverner son peuple avec des verges de fer : bref, de le manger, dévorer, et d'être pour lui ce qu'Homère appelle le roi inique « démovore », c'est-à-dire mangeur de peuple. Comme un enfant nouveau-né, il faut l'allaiter, le bercer, l'amuser. Comme une personne sauvée d'une longue et forte maladie, et qui entre en convalescence, il faut le choyer, l'épargner, le restaurer.

Comment Panurge fut fait châtelain de Salmigondin en Dipsodie et mangea son blé en herbe

Pantagruel assigna la châtellenie de Salmigondin à Panurge[1], qui rapportait par an 6789106789 royaux[2] en deniers certains, sans compter le revenu incertain des hannetons et des coquilles d'escargots, s'élevant, bon an mal an, de 2435768 à 2435769 moutons à grande laine.

Monsieur le nouveau châtelain gouverna si bien et prudemment qu'en moins de quatorze jours, il dilapida le revenu certain et incertain de sa châtellenie pour trois ans. Non pas, comme vous pourriez le dire, en fondations de monastères, érections de temples, bâtiments de collèges ou hôpitaux, ou même en jetant son lard aux chiens, mais il le dépensa en mille petits banquets et festins joyeux, ouverts au tout-venant, bons compagnons, jeunes fillettes et mignonnes gauloises. Abattant les bois, brûlant les grosses souches pour en vendre les cendres, prenant son argent d'avance, achetant cher, vendant à bon marché et mangeant son blé en herbe.

Pantagruel, averti de l'affaire, n'en fut aucune-

1. À la fin de *Pantagruel*, le fief avait été donné à Alcofribas. Il échoit ici à Panurge pour de mystérieuses raisons…

2. Monnaie d'or.

ment indigné. Je vous ai déjà dit et le redis encore que c'était le meilleur petit et grand bonhomme qui portât jamais une épée. Il prenait toutes choses du bon côté, interprétait tout en bien ; jamais il ne se tourmentait, jamais il ne se scandalisait. Il prit seulement Panurge à part et, tout doucement, lui démontra que, s'il voulait vivre ainsi et n'être aucunement économe, il lui serait impossible, ou pour le moins bien difficile, de le faire jamais riche.

– Riche ? répondit Panurge. Aviez-vous là arrêté votre pensée ? Aviez-vous en soin de me faire riche en ce monde ? Pensez plutôt à vivre joyeux par le bon Dieu et les bons hommes. Vous vivant joyeux et gaillard, je ne serai que trop riche.

Comment Panurge avait la puce à l'oreille et demanda conseil à Pantagruel pour savoir s'il devait se marier

Le lendemain, Panurge se fit percer l'oreille droite et y attacha un petit anneau d'or dans le chaton duquel était enchâssée une puce. Et la puce était noire, afin que vous n'ignoriez rien ; car c'est une belle chose que d'être bien informé de tout. Le bon Pantagruel ne comprenait pas ce mystère et l'interrogea, en lui demandant ce que voulait dire ce nouveau déguisement.

– J'ai la puce à l'oreille, répondit Panurge. Je veux me marier.

– À la bonne heure, dit Pantagruel. Vous m'en voyez bien réjoui.

– Je vous supplie, par l'amour que vous m'avez si longtemps porté, de me dire quel est votre avis.

– Puisque vous l'avez décidé, il n'en faut plus parler : il faut passer à l'exécution.

– Certes, dit Panurge. Mais je ne voudrais pas le faire sans votre conseil et votre avis.

– J'en suis d'avis, dit Pantagruel, et vous le conseille.

– Mais, dit Panurge, si vous trouviez que le mieux est que je reste ainsi, sans rien entreprendre de nouveau, j'aimerais mieux ne me marier point.

– Ne vous mariez donc point, répondit Pantagruel.

– Certes, mais voudriez-vous, dit Panurge, que je reste ainsi seulet toute ma vie, sans compagnie conjugale ?

– Mariez-vous donc, par Dieu, répondit Pantagruel.

– Mais, dit Panurge, si ma femme me faisait cocu, ce serait assez pour me faire sortir de mes gonds. J'aime bien les cocus, mais je ne voudrais pas l'être.

– Ne vous mariez donc point, répondit Pantagruel. Car la sentence de Sénèque est véritable et ne souffre aucune exception : ce qu'à autrui tu auras fait, sois certain qu'autrui te le fera.

– Mais, puisque je ne peux me passer de femme plus qu'un aveugle de sa canne, n'est-ce pas le mieux que je me marie avec quelque honnête et prude femme ?

– Mariez-vous donc, par Dieu, répondit Pantagruel.

– Mais, si Dieu le voulait, dit Panurge, et que j'épouse quelque femme de bien, et qu'elle me batte, j'enragerais tout vif.

– Ne vous mariez donc point, répondit Pantagruel.

– Oui mais, dit Pantagruel, je n'aurais jamais de fils ni filles légitimes par lesquels j'aurais un espoir de perpétuer mon nom.

– Mariez-vous donc, par Dieu, répondit Pantagruel.

Comment Pantagruel démontre à Panurge combien le conseil de mariage est chose difficile

– Votre conseil, dit Panurge, ressemble à la chanson de Ricochet : ce ne sont que redites contradictoires. Les unes détruisent les autres. Je ne sais auxquelles me tenir.

– Mais aussi, dans vos propositions, dit Pantagruel, il y a tant de *si* et de *mais* que je n'y saurais rien distinguer. N'êtes-vous pas sûr de votre volonté ? Le point principal y gît : tout le reste est fortuit et dépendant des fatales dispositions du ciel. Il faut s'y jeter à l'aventure, les yeux bandés, en baissant la tête, en baisant la terre et en se recommandant à Dieu. Je ne saurais vous en donner une autre assurance. Apportez-moi les œuvres de Virgile et, par trois fois, en l'ouvrant avec l'ongle, nous explorerons, selon le nombre de vers convenu entre nous, le sort futur de votre mariage.

Ces paroles achevées, on apporta les œuvres de Virgile.

Comment Pantagruel explore par les sorts virgiliens quel sera le mariage de Panurge

Alors Panurge, ouvrant le livre, rencontra au seizième rang le vers :

Nec Deus hunc mensa, Dea nec dignata cubili est.
« Digne ne fut d'être à la table du dieu,
Et n'eut au lit de la déesse lieu[1]. »

– Ce vers, dit Pantagruel, n'est pas à votre avantage. Il dénote que votre femme sera une ribaude, et vous cocu, par conséquent. La déesse qui ne vous sera pas favorable est Minerve, vierge très redoutée, déesse puissante, foudroyante, ennemie des cocus, des adultères, ennemie des femmes lubriques, infidèles à la foi promise à leurs maris et s'abandonnant à autrui. Le dieu est Jupiter tonnant et foudroyant des cieux.

– Ventre sur ventre, dit Panurge. Ce sort dénote que ma femme sera prude, pudique et loyale.

– Tout beau, fillot, tout beau, dit Pantagruel. Ouvrez une deuxième fois.

Alors il rencontra ce vers :

1. Virgile, *Bucoliques*, IV, 63 : « Un dieu ne l'a pas jugé digne de sa table, ni une déesse de sa couche. »

Membra quatit gelidusque coit formidine sanguis[1].
« Les os lui rompt et les membres lui casse :
Et par la peur le sang au corps le glace. »

– Il dénote, dit Pantagruel, qu'elle vous battra dos et ventre.

– À l'inverse, répondit Panurge, c'est de moi qu'il pronostique et dit que je la battrai comme un tigre si elle me fâche.

Au troisième coup, il rencontra ce vers :

Fœmineo prædae et spoliorum ardebat amore[2].
« Brûlait d'ardeur, en féminin usage,
De butiner et voler le bagage. »

– Il dénote, dit Pantagruel, qu'elle vous volera. Je vous vois bien en point, selon ces trois sorts : vous serez cocu, battu et volé.

– À l'inverse, répondit Panurge, ce vers dénote qu'elle m'aimera d'amour parfait. Je prends ces trois sorts à mon avantage.

– Puisque nous ne sommes pas d'accord sur l'interprétation des sorts virgiliens, prenons un autre moyen de divination.

– Lequel ? demanda Panurge.

– Un bon, antique et authentique, dit Pantagruel : les songes. Demain donc, à l'heure où la

1. Virgile, *Énéide*, III, 30.
2. Virgile, *Énéide*, XI, 782.

joyeuse Aurore aux doigts de rose chassera les ténèbres nocturnes, adonnez-vous à songer profondément.

– Je le veux, dit Panurge.

Le songe de Panurge et son interprétation

Sur le coup des sept heures, le matin suivant, Panurge se présenta devant Pantagruel et, dans la chambre, se trouvaient Épistémon, frère Jean des Entommeures, Ponocrate, Eudémon, Carpalim et d'autres. À la venue de Panurge, Pantagruel dit :

– Voici notre songeur.

Alors Panurge dit :

– J'ai songé tant et plus, mais je n'y comprends rien. Sauf que, dans mes songeries, j'avais une femme jeune, galante et belle à la perfection, laquelle me traitait mignonnement. Jamais homme ne fut plus aise, ni plus joyeux. Elle me flattait, me chatouillait, m'embrassait et, par jeu, me faisait deux belles petites cornes au-dessus du front. Peu après, il me sembla que j'étais, je ne sais comment, transformé en tambourin, et elle en chouette. Là, mon sommeil fut interrompu et en sursaut je me réveillai tout fâché, perplexe et indigné. Voyez là une belle platée de songes, faites-en grande chère et expliquez-le comme vous le comprenez.

– Je comprends, dit Pantagruel, que votre femme s'abandonnera à autrui et vous fera cocu. Vous ne serez pas métamorphosé en tambourin, mais vous serez par elle battu comme un tambour de noces ; elle ne sera pas métamorphosée en chouette, mais vous volera, comme le fait la chouette. Voyez, vos songes sont conformes aux sorts virgiliens : vous serez cocu, battu et volé.

Frère Jean s'écria alors :

– Il dit vrai, par Dieu ; tu seras cocu, homme de bien, je t'assure, tu auras de belles cornes.

– Pardonnez-moi si je me méprends, dit Panurge, mais vous me semblez vous égarer en interprétant les cornes pour un cocuage. Les cornes que me faisait ma femme sont cornes d'abondance, pourvues de tous les biens. Je vous l'affirme. Au demeurant, je serai joyeux comme un tambour de noces, toujours sonnant, toujours ronflant, bourdonnant et pétant. Et ma femme sera propre et jolie comme une belle petite chouette.

Comment Pantagruel conseille à Panurge de conférer avec la sibylle de Panzoust

Peu de temps après, Pantagruel dit à Panurge :

– L'amour que je vous porte m'incite à penser à votre bien et à votre profit. On m'a dit qu'à Panzoust[1] vit une sibylle remarquable, laquelle prédit toutes choses futures : prenez Épistémon avec vous, allez la voir et écoutez ce qu'elle vous dira.

– C'est, dit Épistémon, une pythonisse et une sorcière.

– Moi, dit Panurge, je me trouve fort bien du conseil des femmes, surtout des vieilles. Croyez que la vieillesse féminine est toujours foisonnante en qualités zibelines, je veux dire sibyllines. Allons, par l'aide et la vertu de Dieu, allons.

– Bien, dit Épistémon, je vous suivrai, mais si je me rends compte qu'elle use de sorts ou d'enchantements dans ses réponses, je vous laisserai à la porte et ne vous accompagnerai plus.

1. Il ne s'agit pas d'un lieu imaginaire, mais bien d'un village, Panzoult, près de Chinon.

Comment Panurge parle à la sibylle de Panzoust

Leur chemin fut de trois journées. À la troisième, sur la croupe d'une montagne, sous un grand et ample châtaignier, on leur montra la maison de la devineresse. Sans difficulté, ils entrèrent dans la chaumine mal bâtie, mal meublée et tout enfumée.

Au coin de la cheminée, ils trouvèrent la vieille. Elle était mal en point, mal vêtue, mal nourrie, édentée, chassieuse, courbassée, et faisait un potage de choux verts avec une couenne de lard jaune.

Panurge la salua profondément, lui présenta six langues de bœuf fumées, un grand pot à beurre plein de graines de couscous et une couille de bélier pleine de carolus[1] frappés récemment. Enfin, avec une profonde révérence, il lui passa au majeur une bague en or bien belle, dans laquelle était magnifiquement enchâssée une crapaudine[2]. Puis, en quelques brèves paroles, il lui exposa le motif de sa venue, la priant courtoisement de lui dire son avis sur l'entreprise de son mariage.

La vieille resta quelque temps silencieuse, pensive et rechignant des dents ; puis elle s'assit sur le

1. Monnaie frappée sous Charles VIII.
2. Sorte de pierre précieuse.

cul d'un boisseau, prit dans ses mains trois vieux fuseaux, les tourna et vira entre ses doigts de diverses manières, éprouva leur pointe, garda le plus pointu en main et jeta les deux autres. Après, elle prit ses dévidoirs et les tourna neuf fois. Au neuvième tour, elle regarda sans plus y toucher le mouvement des dévidoirs et attendit leur repos parfait.

Puis elle déchaussa un de ses sabots et mit son tablier sur sa tête, comme les prêtres mettent leur habit quand ils veulent chanter la messe. Ainsi affublée, elle prit trois carolus dans la couille de bélier, les mit dans trois coques de noix, les posa sur le cul d'un pot à plumes, fit trois tours de balai dans la cheminée et jeta au feu un demi-fagot de bruyère et un rameau de laurier sec. Elle le regarda brûler en silence et vit qu'en brûlant il ne faisait aucun bruit ni crépitement. Elle cria alors épouvantablement, faisant résonner entre ses dents quelques mots barbares et d'étrange terminaison, si bien que Panurge dit à Épistémon :

– Vertudieu, je tremble, je crois que je suis ensorcelé ; elle ne parle point chrétien. Voyez comme elle semble de quatre empans plus grande qu'elle n'était lorsqu'elle s'encapuchonna de son tablier. Que signifie ce remuement de badigoinces ? À quelle fin fredonne-t-elle des babines comme un singe démembrant des écrevisses ? Les oreilles me cornent, les diables vont bientôt sortir de la place. Ô les laides bêtes ! Fuyons, je meurs de peur. Je n'aime point les diables. Adieu, madame, grand merci. Je ne me marierai point, non. J'y renonce dès à présent.

Il commençait à décamper de la chambre, mais la vieille le devança, tenant le fuseau à la main, et sortit dans un jardin près de sa maison. Là, se dressait un vieux sycomore : elle le secoua par trois fois et, sur huit feuilles qui en tombèrent, sommairement, avec le fuseau, elle écrivit quelques vers brefs. Puis elle les jeta au vent et leur dit :

– Allez les chercher si vous voulez ; trouvez-les si vous pouvez : le sort de votre mariage y est écrit.

Ces paroles dites, elle se retira dans sa tanière, tira la porte sur elle, et on ne la revit plus. Ils coururent après les feuilles et les recueillirent, mais non sans grand-peine, car le vent les avait dispersées dans les buissons de la vallée.

Les mettant en ordre l'une après l'autre, ils trouvèrent cette sentence en vers :

T'égoussera[1]
De renom.
Engrossera,
De toi non.
T'écorchera,
Mais non tout.

1. Égousser : écosser.

Comment Pantagruel et Panurge interprètent diversement les vers de la sibylle de Panzoust

Une fois les feuilles recueillies, Épistémon et Panurge retournèrent à la cour de Pantagruel, mi-joyeux, mi-fâchés. Joyeux de revenir, fâchés à cause du chemin, qu'ils trouvèrent raboteux, pierreux et mal entretenu. Ils firent un large rapport de leur voyage à Pantagruel, lui présentèrent les feuilles de sycomore et lui montrèrent les petites écritures en vers. Pantagruel, après en avoir lu la totalité, dit à Panurge en soupirant :

– Vous êtes bien en point ! La prophétie de la sibylle expose ouvertement ce qui nous avait déjà été dénoté tant par les sorts virgiliens que par vos propres songes : c'est que, par votre femme, vous serez déshonoré, qu'elle vous fera cocu, s'abandonnant à autrui, et que par autrui elle deviendra grosse ; qu'elle vous dépouillera et qu'elle vous battra, vous écorchant et meurtrissant quelque membre du corps.

– Vous vous y entendez autant en interprétation de ces récentes prophéties qu'une truie en épices, dit Panurge.

Comment Panurge prend conseil d'un vieux poète français nommé Raminagrobis

– Je ne pensais jamais, dit Pantagruel, rencontrer un homme si obstiné que vous. Écoutez mon idée. Les cygnes, qui sont les oiseaux sacrés d'Apollon, ne chantent jamais qu'à l'approche de leur mort, de sorte que le chant du cygne est un présage certain de sa mort prochaine, et il ne meurt jamais sans avoir chanté. Semblablement, les poètes, qui sont sous la protection d'Apollon, à l'approche de leur mort ordinairement deviennent prophètes et devinent les choses futures. De plus, j'ai ouï dire que tout homme vieux, décrépit et près de sa fin, devine facilement les choses à venir. Nous avons ici, près de la Villaumère, un homme vieux et poète, c'est Raminagrobis. J'ai entendu dire qu'il est à l'article de la mort. Transportez-vous vers lui et écoutez son chant.

– Je le veux, répondit Panurge. Allons-y, Épistémon, et de ce pas: de peur que la mort ne nous précède.

Ils se mirent en chemin sur l'heure et, arrivant au logis poétique, trouvèrent le bon vieillard en agonie, avec maintien joyeux, face ouverte et regard lumineux. Panurge, le saluant, lui passa au majeur de la main gauche un anneau d'or, au milieu duquel était un saphir oriental, puis lui offrit un beau coq blanc. Cela fait, il lui demanda courtoisement d'exposer son jugement sur le mariage prétendu. Le bon vieillard commanda qu'on lui apporte de l'encre, une plume et du papier. Le tout fut promptement livré. Alors il écrivit ce que s'ensuit :

Prenez-la, ne la prenez pas.
Galopez, mais allez le pas.
Reculez, entrez-y de fait.
Prenez-la, ne...

Jeûnez, prenez double repas.
Défaites ce qui était refait.
Refaites ce qui était défait.
Souhaitez-lui vie et trépas.
Prenez-la, ne...

Puis il le leur tendit et leur dit :

– Allez, enfants, en la garde du grand dieu des cieux, et ne me tourmentez plus de cette affaire ni d'aucune autre.

Comment Panurge prend conseil d'Épistémon

Laissant la Villaumère et retournant vers Pantagruel, en chemin Panurge s'adressa à Épistémon et lui dit :

– Compère, mon vieil ami, vous voyez la perplexité de mon esprit. Vous savez tant de bons remèdes, me sauriez-vous secourir ? Dites-moi votre avis : dois-je me marier ou non ?

– Certes, répondit Épistémon, le cas est hasardeux, je me sens par trop incapable de le résoudre. Si régnaient encore les oracles de Jupiter en Ammon, d'Apollon à Delphes et d'Apis en Égypte, je serais d'avis (ou peut-être pas) d'aller y entendre leur jugement sur votre entreprise. Mais vous savez que tous sont devenus plus muets que des poissons depuis la venue de ce roi sauveur avec lequel ont pris fin tous les oracles et toutes les prophéties, comme à la lumière du clair soleil disparaissent tous les lutins, garous, farfadets et ténébrions.

Comment Panurge prend conseil auprès de Her[1] Trippa

– Écoutez, dit Épistémon, continuant. Ici, près de l'île Bouchart, demeure Her Trippa. Vous savez comment, par art d'astrologie, géomancie, chiromancie, métopomancie[2] et autres de pareille farine, il prédit toutes choses futures : conférons de votre affaire avec lui.

Au lendemain, ils arrivèrent au logis de Her Trippa. Panurge lui donna une robe de peau de loup, une grande épée bien dorée à fourreau de velours et cinquante beaux angelots[3], puis conféra familièrement avec lui de son affaire. Tout de suite, Her Trippa, le regardant en face, dit :

– Tu as la physionomie d'un cocu. Je dis cocu scandaleux et diffamé.

Il demanda à Panurge l'horoscope de sa naissance. Panurge le lui ayant donné, il fabriqua promptement sa maison du ciel, jeta un grand soupir et dit :

– J'avais déjà prédit nettement que tu serais cocu ; à cela tu ne pouvais manquer. Ici, j'en ai une assurance nouvelle. Et je t'affirme que tu seras

1. Maître, seigneur, en ancien français.
2. Divination par l'examen des rides du front.
3. Pièces de monnaie censées protéger de l'ensorcellement.

cocu. En outre, tu seras battu par ta femme, et elle te volera.

– Allons. Laissons ici ce fou enragé, dit Panurge.

– Voulez-vous, dit Her Trippa, en savoir plus amplement la vérité par pyromancie, par aéromancie[1] ? Par catoptromancie[2]. Par alphitomancie et par aleuromancie, mêlant du froment avec de la farine. Par astragalomancie[3]. Par tyromancie : j'ai un fromage de Bréhémont fort à propos. Par gyromancie : je te ferai tournoyer ici force cercles qui tous tomberont à gauche, je t'en assure. Par libanomancie : il ne faut qu'un peu d'encens. Par céphaléonomancie, dont usaient les Allemands en rôtissant la tête d'un âne sur des charbons ardents. Par onymancie[4] : ayons de l'huile et de la cire. Par téphramancie : tu verras en l'air la cendre figurer ta femme en bel état. Par botanomancie : j'ai ici des feuilles de sauge à propos. Par chœromancie : ayons force pourceaux, tu en auras la vessie. Par onomatomancie[5] : comment t'appelles-tu ?

– Mâchemerde, répondit Panurge.

– Ou bien par alectryomancie : je ferai ici un

1. Respectivement, divination par le feu et par l'air.

2. Divination à l'aide de miroirs.

3. Divination par le jeu des osselets.

4. Cette divination par les ongles nécessitait l'emploi de l'huile et de la cire.

5. Divination à l'aide du nom.

cercle que je partagerai en vingt-quatre portions égales. Sur chacune, j'indiquerai une lettre de l'alphabet, sur chaque lettre je poserai un grain de froment, puis je lâcherai un beau coq vierge à travers. Vous verrez qu'il mangera les grains posés sur les lettres C.O.C.U.S.E.R.A.

– Va au diable, fou enragé, répondit Panurge. Retournons vers notre roi. Je suis sûr qu'il ne sera pas content de nous, s'il apprend que nous sommes venus ici, dans la tanière de ce diable enjuponné.

Comment Pantagruel persuade Panurge de prendre conseil d'un fou

Pantagruel dit à Panurge :

– Vous me semblez une souris engluée : plus elle s'efforce de se dépêtrer de la poix, plus elle s'enfonce. Écoutez-moi : j'ai souvent entendu dire qu'un fou enseigne bien un sage. Puisque, par les réponses des sages, vous n'êtes pleinement satisfait, prenez conseil auprès de quelque fou. Je ne serai pas hors de propos en vous racontant ce que dit Seigny Joan[1], fou connu dans Paris. Voici le cas :

1. Le nom traditionnellement donné au bouffon.

« À Paris, dans la rôtisserie du Petit-Châtelet, devant l'étal d'un rôtisseur, un faquin mangeait son pain à la fumée du rôti et le trouvait, ainsi parfumé, grandement savoureux. Le rôtisseur le laissait faire. Pour finir, quand le pain fut tout bâfré, le rôtisseur attrapa le faquin au collet et voulut qu'il lui paie la fumée de son rôti. Le faquin dit qu'il n'avait en rien endommagé ses viandes et qu'il ne lui devait rien.

« La fumée dont il était question s'évaporait au-dehors et ainsi se perdait ; jamais on n'avait entendu que, dans Paris, on vendait de la fumée dans la rue. Le rôtisseur répliqua qu'il n'était pas obligé de nourrir les faquins de la fumée de son rôti, et que, s'il ne le payait pas, il lui arracherait ses dents. Le faquin tira son bâton et s'apprêta à se défendre. L'altercation fut grande. Le peuple de Paris accourut de toutes parts pour voir la dispute. Là, se trouva à propos Seigny Joan le fou, citadin de Paris. L'ayant aperçu, le rôtisseur dit au faquin : "Veux-tu t'en remettre à ce noble Seigny Joan pour notre différend ? – Oui, par le sang de Dieu", répondit le faquin. Donc, Seigny Joan, après avoir entendu leur discorde, commanda au faquin de tirer de son sac quelque pièce d'argent. Le faquin lui mit en main un philippus[1]. Seigny

1. Monnaie à l'effigie de Philippe V.

Joan le prit et le mit sur son épaule gauche, comme s'il jaugeait son poids, puis le fit sonner sur la paume de sa main gauche, comme pour savoir s'il était de bon aloi. Puis il le posa sur la prunelle de son œil droit, comme pour voir s'il était bien marqué. Tout cela fut fait dans un grand silence. Enfin, il le fit résonner plusieurs fois sur l'étal. Puis, avec une majesté présidentielle, tenant sa marotte au poing comme si c'était un sceptre, il dit à haute voix : "La cour vous dit que le faquin, qui a mangé son pain à la fumée du rôti, a civilement payé le rôtisseur du son de son argent. Ladite cour ordonne que chacun se retire chez soi." Cette sentence du fou parisien a semblé équitable : réfléchissez pour savoir si vous voulez prendre conseil d'un fou.

– Par mon âme, répondit Panurge, je le veux.

– Triboulet[1], dit Pantagruel, me semble un fou compétent.

1. Nom d'un bouffon de Louis XII, puis de François Ier (v. 1479-1536).

Comment Panurge prend conseil de Triboulet

Le sixième jour suivant, Triboulet était arrivé. Panurge, à sa venue, lui donna une vessie de porc bien gonflée qui résonnait à cause des pois qui étaient à l'intérieur, plus une épée de bois bien dorée, plus une petite gibecière faite d'une carapace de tortue, plus une bouteille enveloppée d'osier pleine de vin breton, et un quarteron de pommes.

Triboulet ceignit l'épée et la gibecière, prit la vessie en main, mangea une partie des pommes et but tout le vin. Panurge le regardait curieusement et dit :

– Je n'ai jamais vu de fou qui bût plus volontiers.

Puis il lui exposa son affaire en paroles rhétoriques et élégantes. Avant qu'il eût achevé, Triboulet lui donna un grand coup de poing entre les deux épaules, lui rendit la bouteille, le souffleta avec la vessie de porc, et, pour toute réponse, lui dit en branlant bien fort la tête :

– Par Dieu, fou enragé, gare au moine, cornemuse de Buzançais !

Ces paroles achevées, il s'écarta de la compagnie et joua de la vessie, se délectant au son mélodieux des pois. Il ne fut plus possible de lui tirer un seul mot.

– Nous voilà bien, vraiment! dit Panurge. Il est bien fou, cela ne peut se nier.

Comment Pantagruel et Panurge interprètent diversement les paroles de Triboulet

– Il dit que vous êtes fou, dit Pantagruel. Et quel fou? Fou enragé qui, sur vos vieux jours, voulez vous lier et asservir dans le mariage. Il vous dit: gare au moine. Sur mon honneur, vous serez fait cocu par quelque moine. Les autres oracles vous avaient annoncé cocu, mais n'avaient pas encore exprimé ouvertement avec qui votre femme serait adultère. Ce noble Triboulet le dit. Le cocuage sera infâme et grandement scandaleux: faudra-t-il que votre lit conjugal soit contaminé par la moinerie? Il dit en outre que vous serez la cornemuse de Buzançais, c'est-à-dire bien corné, cornard et cornu. Vous épouserez une femme vide de prudence, pleine du vent de l'outrecuidance, criarde et déplaisante, comme une cornemuse. Notez aussi qu'il vous a souffleté avec la vessie et donné un coup de poing sur l'échine: cela présage que vous serez battu, souffleté et dépouillé par elle.

– Au contraire, répondit Panurge. Il dit à ma femme : gare au moine. C'est un moineau qu'elle aura en délices, qui volera pour attraper les mouches. Il dit encore qu'elle sera rustique et plaisante comme une belle cornemuse de Buzançais. Il m'a souffleté : ce seront des petites folâtreries entre ma femme et moi, comme cela arrive à tous les nouveaux mariés.

Comment Pantagruel et Panurge décident de visiter l'oracle de la Dive Bouteille

– Voici un autre point que vous ne considérez pas : il m'a rendu la bouteille. Qu'est-ce que cela signifie ?

– Sans doute que votre femme sera ivrogne, répondit Pantagruel.

– Au contraire, dit Panurge, car elle était vide. Et je jure, par le Styx et l'Achéron, de connaître l'oracle de la Dive Bouteille. Je connais un homme prudent, un ami à moi, qui sait le lieu, le pays et la contrée en laquelle est son temple : il nous conduira sûrement. Allons-y ensemble, je vous en supplie. Nous verrons des choses admirables, croyez-moi.

– Volontiers, répondit Pantagruel. Avant de

nous mettre en route, il nous faut trouver quelque sibylle pour nous servir de guide et d'interprète.

Panurge répondit que son ami Xénomane[1] leur suffirait, et il était d'avis de passer par le pays de Lanternois et d'y prendre quelque docte et utile Lanterne, qui leur serait pour ce voyage ce que fut la sibylle à Énée quand il descendit aux champs Élysées.

Comment Pantagruel fit ses apprêts pour aller sur mer, et de l'herbe nommée Pantagruélion

Peu de jours après, Pantagruel, après avoir pris congé du bon Gargantua, qui priait bien pour le voyage de son fils, arriva au port de Thalasse[2], près de Saint-Malo, accompagné de Panurge, Épistémon, frère Jean des Entommeures, abbé de Thélème, et d'autres de la noble maison, notamment Xénomane, le grand voyageur et traverseur de voies périlleuses, qui était venu sur la demande de Panurge. Une fois arrivé, Pantagruel dressa un équipage de navires égal en nombre à celui qu'Ajax de Salamine avait jadis mené en convoi

1. Du grec *xenos*, « étranger » et *mania*, « folie », « qui a la manie de l'étranger », donc de voyager.

2. Du grec *thalassa*, la mer.

de chez les Grecs à Troie. Matelots, pilotes, interprètes, artisans, gens de guerre, vivres, artillerie, munitions, vêtements, furent chargés comme il était nécessaire pour un long et hasardeux voyage. Entre autres choses, je vis qu'il fit charger une grande foison de son herbe Pantagruélion[1], autant verte et crue que confite et préparée.

L'herbe Pantagruélion a une racine petite, durette, rondelette, finissant en pointe obtuse, blanche, à peu de filaments, et n'est pas profonde de plus d'une coudée en terre. De la racine, sort une tige unique, ronde, verte au-dehors, blanchissant au-dedans, ligneuse, droite, friable, crénelée en forme de colonnes légèrement striées, pleine de fibres, dans lesquelles résident toutes les propriétés de l'herbe. Sa hauteur est communément de cinq à six pieds. De la tige, sortent de gros et forts rameaux. Elle a les feuilles trois fois plus longues que larges, vertes toujours, durettes, dentelées autour comme une faucille. Leur aspect est peu différent des feuilles de frêne. Elles sont disposées en rang à égale distance l'une de l'autre sur la tige, au nombre de cinq ou de sept. La nature l'a tant chérie qu'elle l'a dotée, en ses feuilles, de ces deux nombres impairs, si divins et mystérieux. Leur odeur est forte et peu plaisante aux nez délicats.

1. Du chanvre.

Et, comme en plusieurs plantes, il existe deux sexes, mâle et femelle, ce que nous voyons chez le laurier, le chêne, l'asphodèle, la mandragore, la fougère, le cyprès et autres. La plante mâle ne porte aucune fleur, mais abonde en semence, et la femelle foisonne en petites fleurs blanchâtres inutiles, et ne porte aucune semence. On sème ce Pantagruélion quand les hirondelles reviennent et on le tire de terre lorsque les cigales commencent à s'enrouer.

Pourquoi elle est appelée Pantagruélion, et de ses admirables vertus

L'herbe est nommée Pantagruélion car Pantagruel en fut le découvreur ; je ne dis pas de la plante, mais d'un certain usage, lequel est abhorré et haï des larrons. Il leur est plus contraire et ennemi que le roseau à la fougère, le lierre aux murailles, l'ail à l'amant, l'oignon à l'œil, la graine de fougère aux femmes enceintes, la semence de saule aux nonnes vicieuses, la ciguë aux oisons et l'huile aux arbres. Car bon nombre d'entre eux ont fini leur vie haut et court. Nous en avons entendu d'autres, à l'instant où Atropos[1] coupait

1. L'une des trois Moires (les Parques latines) de la mythologie grecque, chargée de couper le fil de la vie.

le fil de leur vie, se plaindre et se lamenter de ce que Pantagruel les tenait à la gorge. Mais, hélas ! ce n'était pas Pantagruel. Jamais il ne fut bourreau : c'était le Pantagruélion qui servait de corde de chanvre.

Le Pantagruélion est appelé ainsi par similitude, car Pantagruel, en naissant, était aussi grand que l'herbe dont je vous parle.

Il me reste à vous dire que son jus, exprimé et instillé dans les oreilles, tue toute espèce de vermine qui y serait née par putréfaction et tout autre animal qui y serait entré. Si vous mettez de ce jus dans un seau d'eau, soudain vous verrez l'eau prendre comme du lait caillé. Et l'eau ainsi caillée est un remède aux chevaux coliqueux. Sa racine, cuite dans l'eau, ramollit les nerfs tendus, les jointures contractées et les gouttes nouées. Si vous voulez promptement guérir une brûlure, appliquez-y du Pantagruélion cru et prenez soin de le changer dès que vous le verrez se dessécher sur le mal.

Sans cette herbe, les cuisines seraient infâmes, les tables détestables, même si elles étaient couvertes de viandes exquises. Sans elle, les meuniers ne porteraient pas le blé au moulin, ni n'en rapporteraient de farine. Sans elle, comment seraient portés les plaidoyers des avocats à l'auditoire ? Sans elle, comment serait tirée l'eau du puits ? Sans elle, que seraient les copistes, les secrétaires et écrivains ? Le noble art d'imprimerie ne périrait-il pas ? Comment sonnerait-on les cloches ? Elle couvre les armées contre le froid et la pluie, elle couvre les théâtres et amphithéâtres contre la chaleur. Par elle, les arcs sont tendus, les arbalètes bandées, les frondes fabriquées. Je m'étonne que l'invention de cette herbe ainsi que ses usages aient été cachés pendant des siècles, vu son utilité appréciable.

LA NAVIGATION DV COMPAIGNON a la Bouteille.

On les vend â Rouen, au portail des Libraires, aux bouticques de Robert & Iehan Dugort freres.

1547.

LE QUART LIVRE DES FAITS ET DITS HÉROÏQUES DU BON PANTAGRUEL

Composé par M. François Rabelais, docteur en médecine

Comment Pantagruel monta sur la mer pour visiter l'oracle de la Dive Bacbuc[1]

Au mois de juin, au jour de la fête des Vestales, Pantagruel prit la mer au port de Thalasse. Le nombre des navires était tel que je vous l'ai exposé, avec abondance de Pantagruélion. Le rassemblement de tous les officiers, interprètes, pilotes, capitaines, matelots se fit dans *La Thalamège*[2]. C'était le nom de la grande et maîtresse nef de Pantagruel, portant en poupe, pour enseigne, une grande et grosse bouteille, moitié d'argent bien lisse et poli, moitié d'or émaillé couleur incarnat. Par cela, il était facile de juger que le blanc et le rouge étaient les couleurs des nobles voyageurs, et qu'ils partaient pour avoir le mot de la Bouteille.

C'est donc dans *La Thalamège* qu'ils furent tous réunis. Là, Pantagruel leur fit une brève et sainte exhortation, fondée tout entière sur des propos extraits des Saintes Écritures. Quand celle-ci fut

1. « Bouteille », en hébreu.

2. Du grec *Thalamégos* qui désigne une espèce de barque égyptienne.

finie, on fit à Dieu une prière à voix haute et claire, qu'entendirent tous les bourgeois et habitants de Thalasse accourus sur le môle pour voir l'embarquement.

Après l'oraison, on chanta mélodieusement le psaume du saint roi David, qui commence par « Quand Israël hors d'Égypte sortit ». Le psaume achevé, les tables furent dressées sur le tillac et les viandes promptement apportées. Les Thalassiens, qui avaient aussi chanté le psaume, firent apporter de leurs maisons force vivres et boissons. Tous burent à eux. Ils burent à tous. C'est la raison pour laquelle personne de l'assemblée n'eut jamais le mal de mer, ni perturbation d'estomac ou de tête.

Après avoir souvent réitéré leurs buvettes, chacun se retira dans son navire et fit voile au vent grec levant, d'après lequel le pilote principal, nommé Jamet Brayer[1], avait indiqué la route. Car son avis, comme celui de Xénomane, était que, vu que l'oracle de la Dive Bacbuc était près de la Chine, dans l'Inde supérieure, il ne fallait pas prendre la route ordinaire des Portugais, lesquels passaient par la Ceinture ardente[2] et le cap de Bonne-Espérance, et, perdant de vue le pôle nord,

1. Le pilote de Jacques Cartier, découvreur du Canada.

2. Dans la division en cinq bandes parallèles du globe terrestre, cette « ceinture ardente » correspondait à la « zone torride », nous dirions aujourd'hui l'équateur.

faisaient une navigation énorme, mais suivre au plus près le parallèle de l'Inde.

Ce leur fut d'un profit incroyable car, sans naufrage, sans danger, sans perte de leurs gens, en toute sérénité, ils firent le voyage pour l'Inde supérieure en moins de quatre mois : les Portugais l'auraient fait à grand-peine en trois ans, avec mille contrariétés et des dangers innombrables.

Comment Pantagruel rencontra une nef de voyageurs revenant du pays lanternois

Au cinquième jour, nous découvrîmes un navire marchand qui faisait voile vers nous. La joie fut grande, pour nous comme pour les marchands. Nous ralliant à eux, nous apprîmes qu'ils étaient français saintongeais. Pantagruel entendit qu'ils venaient du Lanternois. Il en eut un surcroît d'allégresse, ainsi que toute l'assemblée : nous nous enquîmes de l'état du pays et des mœurs du peuple lanternier. Nous fûmes avertis que, sur la fin de juillet, se tenait la réunion du chapitre général des Lanternes, et que si nous y arrivions (ce qui nous serait facile), nous verrions une belle, honorable et joyeuse compagnie de Lanternes, et que l'on y faisait de grands apprêts, comme si l'on y dût profondément lanterner.

Les chapitres 2 à 4 décrivent la première escale dans l'île de Medamothi, Pantagruel et ses compagnons font leurs achats comme le feraient des t
en lui envoyant ses achats faits sur l'île.

Pendant que nous entendions ces nouvelles, Panurge entama une dispute avec un marchand de Taillebourg, nommé Dindenault. Voici la cause de la dispute : ce Dindenault, voyant Panurge, dit de lui à ses compagnons :

– Voyez là une belle médaille de cocu.

Panurge, entendant ce propos, demanda au marchand :

– Comment diable serais-je cocu, moi qui ne suis pas encore marié, alors que toi, tu l'es, comme je peux le juger à ta trogne malgracieuse ?

– Oui, vraiment, répondit le marchand, je le suis. J'ai une des plus belles, des plus avenantes, des plus honnêtes, des plus prudes femmes qui soit dans tout le pays de Saintonge.

– Je te demande, dit Panurge, ce que tu ferais si j'avais sacsacbezevezinemassé ta si belle, si avenante, si honnête et si prude femme ?

– Je te tuerais comme un bélier, répondit le marchand.

Ce disant, il dégainait son épée. Panurge appela Pantagruel à son secours ; frère Jean eût félonnement occis le marchand, si le patron du navire et les autres passagers n'avaient supplié Pantagruel de ne pas faire de scandale sur le vaisseau. Tout leur différend fut réglé : Panurge et le marchand se serrèrent la main et burent l'un à l'autre en signe de parfaite réconciliation.

Comment, la dispute apaisée, Panurge marchande avec Dindenault un de ses moutons

Cette dispute totalement apaisée, Panurge dit en secret à Épistémon et à frère Jean :

– Retirez-vous un peu à l'écart et profitez joyeusement de ce que vous verrez.

Puis il s'adressa au marchand et but derechef à sa santé un plein hanap de bon vin lanternois. Le marchand l'imita gaillardement en toute courtoisie et honnêteté. Cela fait, Panurge le pria dévotement de bien vouloir lui vendre un de ses moutons. Le marchand lui répondit :

– Notre ami, mon voisin, c'est de la toison de ces moutons que seront faits les fins draps de Rouen. De leur peau seront faits les beaux maroquins que l'on vendra pour des maroquins turcs, ou de Montélimar, ou d'Espagne. Des boyaux, on fera des cordes de violon et de harpe que l'on vendra très cher. Alors, qu'en pensez-vous ?

– S'il vous plaît, dit Panurge, vendez-m'en un ou je serai toujours à frapper à votre porte. Voyez cet argent comptant. Combien ?

Disant cela, il montrait son escarcelle pleine de nouveaux henricus[1].

1. Monnaie d'or à l'effigie d'Henri II.

Continuation du marché entre Panurge et Dindenault

– Mon ami, notre voisin, répondit le marchand, ce n'est viande que pour rois et princes. La chair en est tant délicate, tant savoureuse et tant friande que c'est un baume.

– Vendez-m'en un, dit Panurge. Je vous le paierai en roi. Combien ?

– Dans tous les champs sur lesquels ils pissent, le blé pousse comme si Dieu y eût pissé. Il n'y faut pas d'autre fumier. Il y a plus : de leur urine les quintessencieux[1] tirent le meilleur salpêtre du monde. De leurs crottes, les médecins de nos pays guérissent soixante-dix-huit espèces de maladies. Que pensez-vous, notre voisin, mon ami ?

– Bren, bren ! dit le patron du navire au marchand. C'est ici trop barguigné. Vends-lui si tu veux. Si tu ne veux pas, ne l'amuse plus.

– Je le veux, répondit le marchand, pour l'amour de vous. Mais il en paiera trois livres tournois la pièce.

Panurge, ayant payé le marchand, choisit dans tout le troupeau un grand et beau mouton et l'emporta criant et bêlant ; l'entendant, tous les autres bêlaient ensemble et regardaient de quel côté on emmenait leur compagnon.

1. Les chimistes.

Comment Panurge fit noyer en mer le marchand et les moutons

Soudain, je ne sais comment, Panurge, sans dire autre chose, jeta en pleine mer son mouton criant et bêlant. Tous les autres moutons, criant et bêlant sur le même ton, commencèrent à se jeter et à sauter en mer derrière lui. C'était à qui sauterait le premier après son compagnon. Impossible de les en empêcher, car vous savez le naturel du mouton, qui est de toujours suivre le premier, où qu'il aille. Comme le dit Aristote, le mouton est l'animal le plus sot du monde.

Le marchand, tout effrayé de voir devant ses yeux périr et noyer ses moutons, s'efforçait de les retenir de tout son pouvoir. Mais c'était en vain. Tous à la file sautaient dans la mer et périssaient. Finalement, il en prit un grand et fort par la toison, croyant ainsi le retenir et, par conséquent, sauver aussi le reste. Le mouton était si puissant qu'il emporta en mer avec lui le marchand qui fut noyé, tout comme les moutons de Polyphème, le borgne Cyclope, emportèrent hors de la caverne Ulysse et ses compagnons. Les autres bergers et moutonniers en firent autant, les prenant les uns par les cornes, les autres par les jambes, les autres par la toison : tous furent pareillement emportés en mer et misérablement noyés.

Panurge, à côté de la cuisine, tenant un aviron en main, non pour aider les moutonniers, mais pour les empêcher de grimper sur le navire et d'échapper au naufrage, les prêchait éloquemment, leur faisant valoir par les lieux de la rhétorique les misères de ce monde, et le bien et le bonheur de l'autre vie. Il leur souhaitait néanmoins une bonne fortune et la rencontre de quelque baleine qui, au troisième jour, les rendrait sains et saufs en quelque pays de Satin[1], comme Jonas.

– Vertudieu, dit Panurge, j'ai eu du passetemps pour plus de cinquante mille francs. Retirons-nous ; le vent est propice.

Comment Pantagruel échappa à une forte tempête en mer

Le lendemain, la mer commença à s'enfler, les fortes vagues à battre les flancs de nos vaisseaux et le mistral, accompagné d'une tourmente effrénée et de mortelles bourrasques, à siffler à travers nos antennes. Et le ciel de tonner, foudroyer, éclairer, pleuvoir, grêler, devenir opaque, ténébreux et obscurci, si bien qu'il ne nous apparaissait d'autre lumière que la foudre, les éclairs et de flambantes

1. Pays imaginaire où Panurge et ses compagnons débarqueront dans le *Cinquième Livre*.

nuées. Croyez que cela nous sembla être l'antique chaos, dans lequel le feu, l'air, la mer et la terre étaient en confusion.

Panurge, ayant bien nourri les poissons du contenu de son estomac, restait accroupi sur le tillac, tout affligé, à demi mort. Il invoqua tous les bienheureux saints et saintes à son aide, promettant de se confesser en temps et en lieu, puis s'écria en grand effroi :

– Oh ! que trois et quatre fois heureux sont ceux qui plantent des choux ! Ô, Parques, que ne me filâtes-vous planteur de choux ? Oh ! qu'il est petit le nombre de ceux à qui Jupiter a porté telle faveur, qu'il les a destinés à planter des choux ! Car ils ont toujours un pied sur terre et l'autre n'en est pas loin. Ah ! comme manoir divin et seigneurial, il n'est que le plancher des vaches ! Par ma foi, j'ai belle peur. Bou, bou, bou, bou, bou. C'en est fait de moi. Je me conchie de male rage de peur. Bou, bou, bou, bou. Bou, bou, bou, ou, ou, ou, bou, bou, bou, bou.

Quelle contenance eurent Panurge et frère Jean durant la tempête

Pantagruel, après avoir imploré l'aide du grand Dieu sauveur et fait une oraison publique dans une dévotion fervente, tenait le mât fort et ferme, sur l'avis du pilote. Frère Jean s'était mis en pourpoint pour secourir les matelots, ainsi qu'Épistémon, Ponocrate et les autres. Panurge restait sur son cul, sur le tillac, pleurant et se lamentant. Frère Jean l'aperçut et lui dit :

– Par Dieu, Panurge le veau, Panurge le pleurard, Panurge le criard, tu ferais beaucoup mieux de nous aider plutôt que de pleurer comme une vache, assis sur tes couillons comme un singe magot.

– Be, be, bou, bou, bou, répondit Panurge. Frère Jean, mon ami, je me noie, je me noie, mon ami, je me noie. Be, be, bou, bou, hu, hu, hu, ha, ha, ha, je me noie. Frère Jean, mon père, mon ami, confession ! Voyez-moi, je suis à genoux. *Confiteor.*

– Pendu du diable, dit frère Jean, viens ici nous aider ! Par trente légions de diables, viens. Viendra-t-il ?

– Ne jurons point, dit Panurge, mon père, mon ami, pour cette heure. Demain, tant que voudrez. Bou, bou, bouououou.

– Par la vertu du sang, de la chair, du ventre,

de la tête, de Dieu, dit frère Jean, si je t'entends encore piailler, cocu du diable, je te transforme en loup marin[1].

Alors on entendit une pieuse exclamation de Pantagruel, qui disait à haute voix :

– Seigneur Dieu, sauve-nous. Nous périssons. Toutefois, qu'il n'en advienne pas selon nos désirs, mais que ta sainte volonté soit faite.

– Dieu, dit Panurge, et la Vierge bénie soient avec nous. Hélas, hélas, je me noie. Bebebebou, bebe bou, bou. Dieu, envoie-moi quelque dauphin pour me sauver en terre !

– Je me donne à tous les diables, dit frère Jean. Je te montrerai par l'évidence que tes couillons pendent au cul d'un veau stupide, cornard écorné.

Fin de la tempête

– Terre, terre ! s'écria Pantagruel, je vois la terre ! Enfants, courage de brebis ! Nous ne sommes pas loin du port. Je vois le ciel qui commence à s'éclaircir.

– Courage, enfants, dit le pilote. Le câble au cabestan. Vire, vire, vire. La main au gouvernail. Pare les écoutes.

1. L'ancienne appellation du phoque.

– Courage, s'écria Pantagruel, courage, enfants ! Voyez, près de notre navire, deux barques, trois petits bâtiments, huit paquebots, quatre gondoles et six frégates envoyés à notre secours par les bonnes gens de cette île. Mais qui est cet inutile là-bas, qui crie et se désespère ainsi ?

– C'est ce pauvre diable de Panurge, répondit frère Jean, qui a une fièvre de veau.

Comment, la tempête finie, Panurge fait le bon compagnon

– Ha, ha ! s'écria Panurge, tout va bien. L'orage est passé. Je vous en prie, de grâce, que je descende le premier. Je voudrais aller un peu à mes affaires. Vous aiderai-je encore ici ? Irai-je encore vous aider là ? Ha, ha, ha ! par Dieu, tout va bien. Enfants, avez-vous encore besoin de mon aide ? Vogue la galère, tout va bien. Frère Jean ne fait rien, là. Il s'appelle frère Jean fainéant et me regarde ici suer et travailler. De quelle épaisseur sont les planches de ce navire ?

– Elles sont, répondit le pilote, de deux bons doigts : n'ayez pas peur.

– Vertudieu, dit Panurge, nous sommes donc continuellement à deux doigts de la mort. Ah, vous faites bien de mesurer le péril à l'aune de la peur. Pour ma part, je ne connais pas la peur. Je m'appelle Guillaume sans Peur. Du courage, j'en ai tant et plus. Je ne veux pas dire courage de brebis. Je dis courage de loup, assurance de meurtrier. Et je ne crains que les dangers.

Comment Pantagruel passa l'île de Tapinois en laquelle régnait Carême-Prenant[1]

Une fois les navires du joyeux convoi réparés et remplis de victuailles, au jour suivant, on fit voile avec grande allégresse, poussés par le serein et délicieux zéphyr. Sur la fin du jour, fut montrée de loin par Xénomane l'île de Tapinois, sur laquelle régnait Carême-Prenant, dont Pantagruel avait autrefois entendu parler, et il l'eût volontiers vu en personne, si Xénomane ne l'en avait découragé.

– Vous y verrez, dit-il, pour tout potage, un grand avaleur de pois gris, un grand mangeur d'escargots, un grand preneur de taupes, un demigéant à poil follet et double tonsure issu du Lanternois, fouetteur de petits enfants, calcineur de cendres, homme de bien, bon catholique et de

1. Le nom que l'on donnait jadis au début du carême chez les catholiques, puis, par extension, à un personnage de carnaval ridicule portant une vessie de cochon au bout d'un bâton.

grande dévotion. Il pleure les trois quarts du jour.

– Vous me feriez plaisir, dit Pantagruel, si vous m'exposiez les formes et corpulences de toutes les parties de son corps.

– Volontiers, répondit Xénomane. Nous en entendrons peut-être plus amplement parler en passant l'île Farouche, où dominent les Andouilles grassouillettes, ses ennemies mortelles, contre lesquelles il a une guerre sempiternelle. Et, sans l'aide du noble Mardi-Gras, leur protecteur et bon voisin, ce grand Lanternier de Carême-Prenant les eût déjà exterminées de leur manoir.

Comment Carême-Prenant est anatomisé et décrit par Xénomane

– Carême-Prenant, dit Xénomane, a

« Les nerfs comme un robinet,
« La luette comme une sarbacane,
« Le gosier comme un panier à vendanges,
« L'estomac comme un baudrier,
« Le cœur comme une chasuble,
« Les rognons, comme une truelle,
« La vessie comme une petite arbalète,
« La mémoire comme une écharpe,
« Le sens commun, comme un bourdon,

« L'imagination comme un carillon de cloches,
« L'esprit comme un bréviaire déchiré,
« Le jugement comme un chausse-pied,
« La raison comme un tabouret. »

Continuation de la conformation de Carême-Prenant

– C'est un cas admirable de la nature, continua Xénomane, que de voir et d'entendre l'état de Carême-Prenant.

« S'il crachait, c'étaient des chardonnerets ;
« S'il se mouchait, c'étaient des anguilles salées ;
« S'il pleurait, c'étaient des canards à la sauce ;
« S'il suait, c'étaient des moules au beurre frais ;
« S'il rotait, c'étaient des huîtres en écailles ;
« S'il éternuait, c'étaient des pleins barils de moutarde ;
« S'il sifflait, c'étaient des singes verts ;
« S'il ronflait, c'étaient des jattes de fèves fraîches ;
« S'il fientait, c'étaient potirons et morilles ;
« S'il discourait, c'étaient des neiges d'antan ;
« S'il rêvait, c'était de papiers de rentes.

« Chose étrange : il travaillait sans rien faire et ne faisait rien en travaillant. Il riait en mordant et mordait en riant. Il ne mangeait rien en jeûnant et jeûnait sans rien manger. Il se baignait sur les hauts clochers et se séchait dans les étangs et les rivières. Il pêchait en l'air et y prenait d'énormes écrevisses. Il chassait dans les profondeurs de la mer et y trouvait des bouquetins et des chamois. Il ne craignait rien que son ombre et le cri des chevreaux gras. »

Comment Pantagruel aperçut une monstrueuse baleine près de l'île Farouche

Vers le milieu du jour nous approchions de l'île Farouche, quand Pantagruel aperçut de loin une grande et monstrueuse baleine, venant droit sur nous, bruyante, ronflante, enflée, dressée plus haut que les hunes des navires, et jetant devant elle de l'eau à pleine gueule, comme s'il s'agissait d'une grosse rivière tombant de quelque montagne. Pantagruel la montra au pilote et à Xénomane. Sur le conseil du pilote, les trompettes de *La Thalamège* furent sonnées. Panurge commença à crier et à se lamenter plus que jamais.

– Babillebabou, disait-il, voici pire qu'avant. Fuyons. C'est, par la mort bœuf, le Léviathan décrit par le noble prophète Moïse en la vie du saint homme Job. Il nous avalera tous, hommes et navires, comme des pilules. En sa grande gueule infernale, nous ne tiendrons pas plus de place que ne le ferait une dragée dans la gueule d'un âne. Fuyons, gagnons la terre. Nous sommes tous perdus. Oh ! que tu es horrible et abominable ! Tu en as bien noyé d'autres qui ne s'en sont point vantés. Si elle soufflait un vin bon, blanc, vermeil, friand, délicieux, au lieu de cette eau amère, puante, salée, cela serait tolérable certainement. La voici. Oh ! diable Satan, Léviathan ! Je ne peux te regarder, tant tu es hideuse et détestable.

Comment Pantagruel vainquit la monstrueuse baleine

La baleine jetait de l'eau à pleins tonneaux, comme si c'étaient les cataractes du Nil en Éthiopie. Dards, javelines, épieux volaient sur elle de tous côtés. Frère Jean ne s'épargnait pas. Panurge mourait de peur. L'artillerie tonnait et foudroyait en diable. Mais sans beaucoup de profit. C'est alors que Pantagruel déploie ses bras et montre ce qu'il sait faire. Le noble Pantagruel était admirable et sans comparaison dans l'art de lancer le dard. Avec ses horribles dards (lesquels ressemblaient proprement aux grosses poutres sur lesquelles sont les ponts de Nantes, Saumur, Bergerac et, à Paris, les ponts au Change et aux Meuniers), du premier coup, il enferra la baleine au front, lui transperçant les deux mâchoires et la langue, si bien qu'elle n'ouvrit plus la gueule et ne jeta plus d'eau. Au second coup, il lui creva l'œil droit ; au troisième, l'œil gauche. Il lui lança enfin sur les flancs cinquante dards d'un côté et cinquante de l'autre. Mourant, la baleine se renversa sur le dos, comme font tous les poissons morts.

Comment Pantagruel descend en l'île Farouche, manoir antique des Andouilles

Les rameurs amenèrent la baleine sur la terre de l'île la plus proche, appelée Farouche, pour en faire la dissection et recueillir la graisse des rognons, laquelle, disaient-ils, était fort utile et nécessaire à la guérison de certaine maladie, qu'ils nommaient « manque d'argent ». Pantagruel consentit à descendre sur l'île Farouche pour sécher et rafraîchir ses gens mouillés et souillés par la vilaine baleine, dans un petit port désert vers le sud, situé sous un petit bois, beau et plaisant, duquel sortait un délicieux ruisseau d'eau douce, claire et argentine. Là, sous de belles tentes, furent dressées les cuisines, et les tables promptement servies.

Pantagruel, dînant avec ses gens joyeusement, aperçut quelques petites Andouilles qui grimpaient sans un mot un arbre élevé. Il demanda à Xénomane : « Quelles bêtes sont-ce là ? », pensant que c'étaient des écureuils, des belettes, des martres ou des hermines.

– Ce sont des Andouilles, répondit Xénomane. C'est ici l'île Farouche dont je vous parlais ce matin : entre elles et Carême-Prenant, leur antique ennemi, il y a une guerre mortelle depuis longtemps. Je crois que la canonnade tirée contre la baleine leur a donné quelque frayeur.

Comment, par les Andouilles farouches, une embuscade est dressée contre Pantagruel

Pendant que Xénomane disait cela, frère Jean aperçut vingt-cinq ou trente jeunes Andouilles de petite taille qui se retiraient à grands pas vers leur ville, citadelle et château. Il dit à Pantagruel :

– Il va y avoir du grabuge, je vous préviens. Ces Andouilles vénérables pourraient bien vous prendre pour Carême-Prenant, même si vous ne lui ressemblez en rien. Laissons là ces victuailles et mettons-nous en devoir de leur résister.

– Nous ferions bien, dit Xénomane. Les Andouilles sont Andouilles, toujours doubles et traîtresses.

Alors Pantagruel se lève de table, pour découvrir au-delà du petit bois, à gauche, une embuscade d'Andouilles grassouillettes et, à droite, à une demi-lieue de là, un gros bataillon d'autres puissantes et gigantesques Andouilles qui marchaient furieusement vers nous en ordre de bataille, au son des fifres et des tambours, des trompettes et des clairons. Nous estimions qu'elles n'étaient pas moins de quarante-deux mille. Les ailes étaient flanquées d'un grand nombre de Boudins sauvages, de Godiveaux massifs et de Saucissons à cheval, tous de belle taille.

Pantagruel rassembla son conseil pour entendre sommairement son avis sur ce qu'ils devaient faire.

Comment Pantagruel envoya quérir les capitaines Riflandouille[1] et Tailleboudin

La résolution du conseil fut de se tenir sur ses gardes. Sur ordre de Pantagruel, Carpalim et Gymnaste appelèrent les gens de guerre qui étaient dans les navires nommés *Brindière*[2] (leur colonel

1. «Rifler» = écorcher, érafler; Riflandouille est donc littéralement un «écorcheur d'andouilles».

2. De l'ancien mot «brinde», vase à anses propre à mettre du vin.

était Riflandouille) et *Portouérière*[1] (leur colonel était Tailleboudin le jeune).

– Le nom de vos deux colonels, Riflandouille et Tailleboudin, nous promet la victoire dans ce conflit, dit Épistémon à Pantagruel.

Les deux colonels arrivèrent, accompagnés de leurs soldats, tous bien armés et bien résolus. Pantagruel leur fit un bref discours: ils devaient se montrer vertueux au combat, au cas où ils y seraient contraints (car il ne pouvait encore croire les Andouilles si traîtresses), mais ne pas commencer la bataille. Il leur donna *Mardi-Gras* comme mot de passe.

Vous vous moquez ici, buveurs, et vous ne croyez pas que la vérité soit telle que je vous la raconte. Croyez-le, si vous le voulez; si vous ne le voulez pas, allez-y voir. Mais je sais bien ce que je vis.

1. De l'ancien mot «portuère», hotte pour porter le raisin.

Comment frère Jean se rallie avec les cuisiniers pour combattre les Andouilles

Voyant ces furieuses Andouilles marcher tout droit, frère Jean dit à Pantagruel :

– Ce sera ici une belle bataille, à ce que je vois. Je voudrais que vous soyez simplement spectateur de ce conflit, et que vous me laissiez faire avec mes gens.

– Quels gens ? demanda Pantagruel.

– Pour abattre, combattre et dompter les Andouilles, les cuisiniers sont sans comparaison avec tous les soldats et fantassins du monde.

– Donc, vu qu'il nous faut combattre des Andouilles, vous en déduisez que c'est bataille culinaire, et voulez aux cuisiniers vous rallier. Faites comme vous l'entendez. Je resterai ici en attendant.

Frère Jean, de ce pas, va aux tentes des cuisines et dit en toute gaieté et courtoisie aux cuisiniers :

– Enfants, je veux aujourd'hui vous voir tous en honneur et triomphe. Ventre sur ventre, ne tient-on pas compte des vaillants cuisiniers ? Allons combattre ces paillardes Andouilles. Je serai votre capitaine. Buvons, amis. Courage.

Comment par frère Jean est dressée la truie, et les preux cuisiniers enfermés dedans

Alors, sur l'ordre de frère Jean, une grande truie[1] fut dressée par les cuisiniers ingénieux. Elle se trouvait dans le navire nommé *Bourrabaquinière*[2]. C'était un engin mirifique fait de telle manière qu'il jetait autour de lui de grosses flèches de fer empennées d'acier ; et à l'intérieur, deux cents hommes et plus pouvaient aisément combattre tout en demeurant à couvert.

Voici le nom des preux et vaillants cuisiniers qui, comme dans le cheval de Troie, entrèrent dans la truie.

Saupiquet
Painperdu
Pochecuillère
Grasboyau
Lèchevin
Carbonnade
Soufflenboyau
Crocodillet
Rincepot
Boudinandière

1. Sorte de catapulte.

2. De l'ancien mot « bourrabaquin », flacon de cuir ou grand verre allongé.

Cochonnet
Grosbec
Saupoudré

Dans la truie entrèrent ces nobles cuisiniers, gaillards et prompts au combat. Frère Jean entra le dernier et ferma les portes à ressort par le dedans.

Comment Pantagruel rompit les Andouilles au genou[1]

Les Andouilles approchèrent tant que Pantagruel aperçut comme elles déployaient leurs bras. Il envoya donc Gymnaste entendre ce qu'elles voulaient dire, et pour quelle querelle elles voulaient guerroyer. Un gros Cervelas sauvage et grassouillet voulut le saisir à la gorge.

– Par Dieu, dit Gymnaste, tu n'y entreras qu'en morceaux !

Il prit son épée Baise-mon-cul (c'est ainsi qu'il la nommait) à deux mains et trancha le Cervelas en deux. Vrai Dieu, qu'il était gras ! Il n'avait guère moins de quatre doigts de lard sur le ventre.

Ce Cervelas écervelé, les Andouilles coururent sur Gymnaste, et elles le terrassaient vilainement

1. Cette expression proverbiale (« rompre l'andouille sur le genou ») signifiait « arriver à ses fins par des moyens extraordinaires », « tenter l'impossible ».

quand Pantagruel accourut pour lui porter secours. Ainsi commença le combat martial, pêle-mêle, Riflandouille riflait les Andouilles, Taille-boudin taillait les Boudins. Frère Jean se tenait coi dedans sa truie, voyant et considérant tout, quand les Godiveaux, qui étaient en embuscade, sortirent tous et se ruèrent sur Pantagruel.

Frère Jean, voyant le désarroi et le tumulte, ouvre les portes de sa truie et sort avec ses bons soldats, les uns portant des broches de fer, les autres tenant des poêles, des lèchefrites, des marmites, des mortiers et des pilons, tous en ordre comme des brûleurs de maisons ; hurlant et criant tous ensemble épouvantablement. Ils attaquèrent les Godiveaux et, à travers eux, les Saucissons. Les Andouilles aperçurent ce nouveau renfort et se mirent en fuite au grand galop, comme si elles avaient vu tous les diables. Frère Jean les abattait comme des mouches ; ses soldats ne s'y épargnaient pas. C'était pitié. Le camp était tout couvert d'Andouilles mortes ou blessées. L'histoire raconte que, si Dieu n'y avait pas pourvu, la génération andouillique aurait été exterminée par ces soldats culinaires. Mais il arriva un prodige. Vous en croirez ce que vous voudrez.

Du côté de la tramontane[1], arriva en volant un

1. Le nord.

grand, gras, gros et gris pourceau, avec des ailes longues et amples, comme sont les ailes d'un moulin à vent. Son plumage était rouge cramoisi, comme celui d'un flamant. Il avait les yeux rouges et flamboyants comme une escarboucle, les oreilles vertes comme une émeraude, les dents jaunes comme une topaze, la queue longue et noire, comme du marbre, les pieds blancs, diaphanes et transparents comme un diamant, et largement palmés comme ceux des oies. Il avait un collier d'or au cou, autour duquel étaient quelques lettres ioniennes, dont je ne pus lire que « Pourceau Minerve enseignant ». Le temps était beau et clair. Mais, à la venue de ce monstre, il tonna du côté gauche si fort que nous restâmes tous étonnés. Les Andouilles, dès qu'elles l'aperçurent, jetèrent leurs armes et bâtons et s'agenouillèrent toutes à terre, sans mot dire, comme si elles l'adoraient.

Frère Jean, avec ses gens, frappait toujours et embrochait les Andouilles. Mais, sur ordre de Pantagruel, la retraite fut sonnée. Le monstre, ayant plusieurs fois volé et revolé entre les deux armées, jeta plus de vingt-sept pipes de moutarde à terre, puis disparut en volant et en criant sans cesse :

– Mardi-Gras, Mardi-Gras, Mardi-Gras !

Comment Pantagruel parlemente avec Niphleseth, reine des Andouilles

Le monstre n'apparaissant plus et les deux armées restant silencieuses, Pantagruel demanda à parlementer avec dame Niphleseth, ainsi était nommée la reine des Andouilles. Ce qui fut facilement accordé. La reine salua gracieusement Pantagruel. Il se plaignit de cette guerre. Elle lui fit ses excuses honnêtement, alléguant que l'erreur avait été commise sur la foi de faux rapports et que ses espions lui avaient dit que Carême-Prenant, leur antique ennemi, était descendu sur leur terre. Puis elle le pria de bien vouloir leur pardonner cette offense : elle et toutes les Niphleseth qui lui succéderaient tiendraient toute l'île en foi et hommage envers lui, obéiraient en tout et partout à ses commandements, seraient amies de ses amis et ennemies de ses ennemis. Et chaque année, en reconnaissance de cette fidélité, elles lui enverraient soixante-dix-huit mille Andouilles royales pour le servir à l'entrée de sa table six mois par an.

Pantagruel remercia gracieusement la reine, pardonna toute l'offense et lui donna un beau petit couteau du Perche. Puis il l'interrogea avec curiosité sur l'apparition du monstre. Elle répondit que c'était l'image de Mardi-Gras, leur dieu tutélaire en temps de guerre, premier fondateur de la race andouillique. Pourtant, il ressemblait à un Pourceau, car les Andouilles furent extraites d'un Pourceau. Pantagruel demanda pourquoi il avait jeté tant de moutarde à terre. La reine répondit que la moutarde était leur Saint-Graal et Baume céleste : en en mettant un peu dans les plaies des Andouilles terrassées, en bien peu de temps les blessées guérissaient et les mortes ressuscitaient.

Pantagruel ne tint pas d'autres propos avec la reine et se retira dans son navire. Tous les bons compagnons, avec leurs armes et leur truie, firent de même.

Comment Pantagruel descendit dans l'île de Ruach[1]

Deux jours après, nous arrivâmes dans l'île de Ruach, et je vous jure par l'étoile poussinière[2] que j'y trouvai l'état et la vie du peuple plus étrange que je ne le dis. Ils ne vivent que de vent. Ils ne boivent rien, ne mangent rien, sinon du vent. Les riches vivent de moulins à vent. Quand ils font quelque festin ou banquet, on dresse les tables sous un ou deux moulins à vent. Et durant leur

1. Le « vent », en hébreu.
2. Constellation des Pléiades.

repas, ils disputent de la bonté, de l'excellence, de la salubrité, de la rareté des vents, comme vous, buveurs, dans les banquets, philosophez en matière de vins.

Ils ne fientent, ne pissent, ni ne crachent dans cette île. En revanche, ils vessent, pètent et rotent copieusement. Ils souffrent de toutes sortes de maladies. Aussi toute maladie naît et procède de ventosité. Mais la plus épidémique est la colique venteuse. Pour y remédier, ils usent de ventouses amples. Ils meurent tous enflés comme des tambours. Les hommes meurent en pétant, les femmes en vessant. Ainsi leur sort l'âme par le cul.

Comment Pantagruel descendit dans l'île des Papefigues

Le lendemain matin, nous rencontrâmes l'île des Papefigues, qui jadis étaient riches et libres, et on les nommait Gaillardets[1]. Désormais, ils étaient pauvres, malheureux et assujettis aux Papimanes. La chose s'était produite de la façon suivante : un jour de fête annuelle, les bourgmestres et gros docteurs Gaillardets étaient allés voir la fête en Papimanie, dont l'île est toute proche. L'un d'eux,

1. Ce sont les protestants que Rabelais désigne sous ce vocable.

voyant le portrait papal, lui fit la figue[1], ce qui, dans ce pays, est signe de mépris et dérision manifeste. En représailles, les Papimanes, quelques jours après, sans crier gare, se mirent tous en armes, surprirent, saccagèrent et ruinèrent toute l'île des Gaillardets. Les Gaillardets furent faits esclaves et on leur imposa le nom de Papefigues parce qu'au portrait papal ils avaient fait la figue. Depuis ce temps-là, les pauvres gens n'avaient pas prospéré. Tous les ans, ils avaient grêle, tempête, peste, famine et tous les malheurs, comme une éternelle punition du péché de leurs ancêtres.

Voyant la misère de ce peuple, nous ne voulûmes pas aller plus loin.

Comment Pantagruel descendit dans l'île des Papimanes

Laissant l'île désolée des Papefigues, nous naviguâmes une journée sereinement et avec plaisir, quand s'offrit à notre vue l'île bénie des Papimanes.

Dès que nos ancres furent jetées au port, nous vîmes venir vers nous, dans un esquif, quatre personnes diversement vêtues : l'un en moine enfro-

1. Un pied de nez.

qué, crotté, botté ; l'autre en fauconnier avec un leurre et un grand oiseau ; l'autre en procureur, avec un grand sac plein d'informations, citations, chicaneries et ajournements ; et l'autre en vigneron, avec de belles guêtres de toile, un panier et une serpe à la ceinture. À peine eurent-ils rejoint notre navire, qu'ils s'écrièrent tous à haute voix :

– L'avez-vous vu, voyageurs ? L'avez-vous vu ?

– Qui ? demanda Pantagruel.

– Comment, dirent-ils, ne connaissez-vous pas l'Unique ? Celui qui est. L'avez-vous jamais vu ?

– Celui qui est, répondit Pantagruel, par notre théologique doctrine, est Dieu. C'est par ce mot qu'il se présenta à Moïse. Certes, jamais nous ne le vîmes, et il n'est pas visible à l'œil humain.

– Nous ne parlons pas de ce haut Dieu qui domine dans les cieux. Nous parlons du Dieu en terre. L'avez-vous jamais vu ?

– Ils veulent parler du pape, dit Carpalim, sur mon honneur.

– Oui, oui, répondit Panurge. J'en ai vu trois. La vue desquels ne m'a guère fait de profit.

– Comment ? dirent-ils. Il n'y en a jamais qu'un vivant.

– Je veux dire, répondit Panurge, les uns successivement après les autres. Autrement, je n'en ai vu qu'un à la fois.

– Ô gens, trois et quatre fois heureux, soyez les bien et plus que très bienvenus.

Alors ils s'agenouillèrent devant nous et voulurent nous baiser les pieds. Ce que nous ne voulûmes leur permettre, leur faisant valoir que si, d'aventure, le pape en personne venait, ils ne sauraient lui en faire davantage.

Pendant ce temps, Pantagruel demanda à un mousse de leur esquif qui étaient ces personnages. Il lui répondit que c'étaient les quatre états de l'île, ajoutant que nous serions bien accueillis et bien traités puisque nous avions vu le pape. Ce qu'il répéta à Panurge, lequel lui dit secrètement :

– Tout vient à point à qui sait attendre. La vue du pape ne nous avait jamais fait de profit. À cette heure, par tous les diables, elle nous profitera, je le vois.

Alors nous descendîmes à terre, et tout le peuple du pays, hommes, femmes, petits enfants, vint au-devant de nous comme en procession. Nos quatre états leur dirent à haute voix :

– Ils l'ont vu ! Ils l'ont vu ! Ils l'ont vu !

À cette proclamation, tout le peuple s'agenouilla devant nous, levant les mains jointes au ciel en criant :

– Ô gens heureux ! Ô bienheureux !

Leurs exclamations furent si grandes, qu'Homenas y accourut (c'est ainsi qu'ils nomment leur évêque), accompagné de ses suppôts portant croix, bannières, gonfalons, baldaquins, torches et bénitiers. Il dit qu'un de leurs dégraisseurs et glossateurs de Saintes Écritures avait écrit qu'un jour, en cette île, le pape viendrait et que, en attendant cet heureux jour, s'il arrivait quiconque l'ayant vu à Rome ou ailleurs, il fallait le festoyer et le traiter avec révérence.

Le dîner terminé, nous prîmes congé d'Homenas et de tout le bon populaire, les remerciant humblement et leur promettant que, une fois à Rome, nous ferions si bien avec le Saint-Père qu'en diligence il les irait voir en personne. Puis nous retournâmes à notre navire.

Comment, en haute mer, Pantagruel entendit diverses paroles dégelées

En pleine mer, alors que nous banquetions et grignotions, devisant et faisant de beaux discours, Pantagruel se leva pour examiner les environs. Puis il nous dit :

– Compagnons, n'entendez-vous rien ? Il me semble entendre des gens parlant en l'air, toutefois je ne vois personne. Écoutez.

À son commandement, nous fûmes attentifs, et quelques-uns d'entre nous mettaient les mains derrière les oreilles. Néanmoins, nous protestâmes n'entendre aucune voix. Pantagruel continua d'affirmer qu'il entendait diverses voix en l'air, d'hommes comme de femmes, quand il nous sembla que, soit nous les entendions aussi, soit que les oreilles nous cornaient. Plus nous persévérions à écouter, plus nous discernions les voix, jusqu'à entendre des mots entiers. Ce qui nous effraya grandement, et non sans cause, car, sans voir personne, nous entendions des voix et sons divers, d'hommes, de femmes, d'enfants, de chevaux, si bien que Panurge s'écria :

– Ventrebleu, est-ce une plaisanterie ? Nous sommes perdus. Fuyons. Il y a une embuscade autour de nous. Frère Jean, es-tu là, mon ami ? Tiens-toi près de moi, je t'en supplie. Fuyons. Sauvons-nous. Je ne le dis pas par peur, car je ne crains rien, sauf les dangers. Fuyons. Ils sont dix contre un, je vous assure. Ils nous tueront. Fuyons, ce ne sera pas un déshonneur. Démosthène dit que l'homme qui fuit combattra de nouveau. Fuyons, par tous les diables, fuyons.

Pantagruel, entendant l'esclandre que faisait Panurge, dit :

– Qui est ce fuyard là-bas ? Voyons d'abord quels sont ces gens. Il se peut qu'ils soient des nôtres. Mais je ne vois personne. J'ai lu qu'un philosophe pensait qu'il y avait plusieurs mondes se touchant les uns les autres, au centre desquels il disait se trouver le manoir de la Vérité, où habitaient les Paroles, les Idées, les Exemples et les Images de toutes choses passées et futures. Il me souvient aussi qu'Aristote soutient que les paroles d'Homère sont voltigeantes, volantes, mouvantes, et par conséquent animées. De plus, Antiphane disait que la doctrine de Platon était semblable aux paroles qui, au plus fort de l'hiver, dans certaines contrées, gèlent et glacent à la froideur de l'air et ne sont pas entendues. Il faudrait philosopher et rechercher si, par bonheur, ce serait ici l'endroit où ces paroles dégèlent.

Comment, parmi les paroles gelées, Pantagruel trouva des mots de gueule

Le pilote lui répondit :

– Seigneur, ne vous effrayez de rien. Ici est le confin de la mer glaciale, sur laquelle, au commencement de l'hiver dernier, se livra une grosse et félonne bataille entre les Arismapiens et les Néphélibates[1]. Alors gelèrent en l'air les paroles et les cris des hommes et des femmes, les hennissements des chevaux et tout l'effroi du combat. À

1. Les premiers sont un peuple de géants, qui, selon Pline, n'avait qu'un œil. Les autres « marchent sur les nuages ».

cette heure, la rigueur de l'hiver est passée, elles fondent et sont entendues. Mais nous pourrions en voir une. Je me souviens d'avoir lu qu'à l'orée de la montagne sur laquelle Moïse reçut la loi des Juifs, le peuple voyait les voix sensiblement.

– Tenez, tenez, dit Pantagruel, en voici qui ne sont pas encore dégelées.

Alors il nous jeta sur le tillac, à pleines mains, des paroles gelées ; elles ressemblaient à des dragées de diverses couleurs. Nous y vîmes des mots de gueule, des mots d'azur, des mots de sable, des mots dorés, lesquels, après avoir été quelque peu réchauffés entre nos mains, fondaient comme neige, et nous les entendions réellement. Mais nous ne les comprenions pas, car ils étaient en langage barbare. Excepté un assez gros, que frère Jean avait chauffé entre ses mains, et qui fit un son comparable à celui des châtaignes jetées dans la braise, quand elles ne sont pas encore entamées et qu'elles éclatent. Il nous fit tous tressaillir de peur.

Panurge demanda à Pantagruel de lui en donner encore. Pantagruel lui répondit que donner des paroles, c'était l'acte des amoureux.

– Vendez-m'en donc, dit Panurge.

– C'est l'acte des avocats, répondit Pantagruel, de vendre des paroles.

Malgré tout, il en jeta sur le tillac trois ou quatre poignées, et j'y vis des paroles bien piquantes, des paroles sanglantes. Le pilote nous dit qu'elles retournaient parfois au lieu d'où elles avaient été proférées, mais c'était la gorge coupée, des paroles horrifiques, et d'autres assez malplaisantes à voir. Quand elles eurent fondu ensemble, nous entendîmes : hin, hin, hin, hin, ticque, torche, lorgne, brededin, brededac, frr, frr, frrr, bou, bou, bou, bou, bou, tracc, trr, trr, trrr, trrrr, on, on, on, ouououououn, goth, magoth, et je ne sais quels autres mots barbares pareils aux heurts et hennissements des chevaux à l'heure du combat. Puis nous en entendîmes d'autres grosses qui, en dégelant, rendaient un son, les unes comme des tambours et des fifres, les autres comme des clairons et des trompettes. Croyez que nous y eûmes un bon passe-temps.

Je voulus mettre quelques mots de gueule en réserve dans de l'huile, comme on garde la neige et la glace dans du feutre bien propre. Mais Pantagruel ne le voulut pas : il dit que c'était folie que de faire réserve de ce qui jamais ne nous fait défaut et qu'on a toujours sous la main, comme sont les mots de gueule chez tous les bons et joyeux Pantagruélistes.

Comment Pantagruel descendit au manoir de maître Gaster[1], premier maître ès arts du monde

Ce jour-là, Pantagruel descendit sur une île remarquable, tant par sa situation qu'à cause de son gouvernement. De tous côtés, elle était pierreuse, montueuse, infertile, malplaisante à l'œil et très difficile aux pieds.

Le gouverneur de cette île était maître Gaster, premier maître ès arts de ce monde. Il est impérieux, rigoureux, rond, dur, difficile, inflexible. À lui, on ne peut rien faire croire, rien remontrer, rien persuader. Il n'entend point. Gaster fut créé sans oreilles. Il ne parle que par signes. Mais, à ces signes, tout le monde obéit plus vite qu'aux commandements des rois. En ses sommations, il n'admet aucun délai.

Je vous certifie qu'au commandement de maître Gaster tout le ciel tremble, toute la terre branle. Son commandement est nommé : « Le faire sans délai, ou mourir. » À le servir tout le monde est occupé, tout le monde travaille. Aussi, pour récompense, il fait ce bien au monde, qu'il lui invente tous les arts, toutes les machines, tous les métiers, tous les engins et toutes les subtilités.

1. Du grec *gastêr*, « ventre », « estomac ». Maître Gaster est l'incarnation de la gourmandise.

Même aux bêtes sauvages il apprend les arts que leur a refusés la nature. Les corbeaux, les geais, les perroquets, les étourneaux, il les rend poètes ; les pies, il les fait poétesses et leur apprend à parler et chanter le langage humain. Et tout ça pour la tripe[1] !

Les aigles, gerfauts, faucons, éperviers, oiseaux sauvages, voyageurs, pillards, il les domestique et apprivoise, de sorte que, les abandonnant à la pleine liberté du ciel quand bon lui semble, il les tient suspens, errant, volant, planant, puis soudain les fait fondre du ciel sur la terre. Et tout ça pour la tripe !

Les éléphants, les lions, les rhinocéros, les ours, les chevaux, les chiens, il les fait danser, voltiger, combattre, nager, se cacher, apporter ce qu'il veut, prendre ce qu'il veut. Et tout ça pour la tripe !

1. Au sens de « panse », « ventre ».

Comment, à la cour du maître ingénieux, Pantagruel détesta les Engastrimythes[1] et les Gastrolâtres

À la cour de ce grand maître ingénieux, Pantagruel aperçut deux sortes de gens, qu'il eut en grande abomination. Les uns étaient nommés Engastrimythes, les autres Gastrolâtres. Les premiers étaient des ventriloques : c'étaient des divinateurs, des enchanteurs et abuseurs du simple peuple, qui feignaient de parler et répondre à ceux qui les interrogeaient non par la bouche, mais par le ventre.

Les Gastrolâtres, quant à eux, se tenaient serrés en troupes et bandes, joyeux, mignards, certains douillets, d'autres tristes, graves, sévères, renfrognés, tous oisifs, ne faisant rien, ne travaillant point, craignant (selon ce qu'on pouvait en juger) d'offenser et amaigrir le Ventre. Ils tenaient tous Gaster pour leur grand dieu, l'adoraient comme un dieu, lui sacrifiaient comme à leur dieu tout-puissant, ne reconnaissaient d'autre dieu que lui. Pantagruel les comparait au Cyclope Polyphème, qu'Euripide faisait parler ainsi : « Je ne sacrifie qu'à moi (point aux dieux) et à ce ventre qui est mien, le plus grand de tous les dieux. »

1. C'était le nom donné aux prêtresses d'Apollon, qui rendaient leurs oracles sans remuer les lèvres.

Comment et quelles choses sacrifient les Gastrolâtres à leur dieu ventripotent

Nous étions en train de considérer le minois et les gestes de ces poltrons Gastrolâtres à grande gueule, quand nous ouïmes un son de cloche remarquable, auquel tous se rangèrent comme en ordre de bataille, chacun selon son office, son grade et son ancienneté. Approchant les Gastrolâtres, je vis qu'ils étaient suivis d'un grand nombre de gros valets chargés de corbeilles, de paniers, de pots, poches et marmites. Donc, chantant je ne sais quels dithyrambes, ils offrirent à leur dieu en ouvrant leurs corbeilles et marmites:

Pain blanc,
Pain bourgeois,
Longes de veau rôties froides, saupoudrées de poudre de gingembre,
Soupes lyonnaises,
Andouilles caparaçonnées de moutarde fine,
Saucisses,
Hures de sanglier.
Le tout arrosé de l'éternel breuvage. Puis ils lui enfournaient en gueule:
Côtelettes de porc à l'oignonade,
Lièvres, levreaux,

Faisans, faisandeaux,
Lapins, lapereaux,
Pigeons, pigeonneaux...
Puis des gros pâtés de :
Chevreuil,
Chamois,
Chapons,
Lardons...

Comment Gaster inventa les moyens d'avoir et conserver le grain

Une fois ces diables Gastrolâtres retirés, Pantagruel fut attentif à l'œuvre de Gaster, le noble maître des arts. Vous savez que, grâce à la nature, le pain lui a été donné pour provision et aliment, avec cette bénédiction du ciel que, pour trouver et conserver du pain, il ne manquerait de rien. Dès le commencement, il inventa l'agriculture pour cultiver la terre, afin qu'elle lui produisît le grain. Il inventa l'art militaire et les armes pour défendre le grain, la médecine et l'astrologie[1], avec les mathématiques, pour conserver le grain en sûreté et le préserver des calamités de l'air, des dégâts des bêtes fauves et du vol des brigands. Il

1. Au sens d'astronomie.

inventa les moulins à eau, à vent, à bras, pour moudre le grain et le réduire en farine, le levain pour fermenter la pâte, le sel pour lui donner de la saveur, le feu pour le cuire, les horloges pour le temps de cuisson du pain.

CINQUIÈME ET DERNIER LIVRE DES FAITS ET DITS HÉROÏQUES DU BON PANTAGRUEL

composé par M. François Rabelais,
docteur en médecine

Comment Pantagruel arriva en l'île Sonnante, et du bruit que nous y entendîmes

Continuant notre route, nous naviguâmes trois jours sans rien découvrir. Au quatrième, nous aperçûmes une terre, et notre pilote nous dit que c'était l'île Sonnante. Nous entendîmes un bruit venant de loin, fréquent et tumultueux, et il nous semblait, à l'entendre, que c'étaient des cloches petites, moyennes et grosses, sonnant ensemble comme l'on fait à Paris, à Tours, Nantes et ailleurs, les jours de grande fête.

Approchant davantage, nous entendîmes, entre la perpétuelle sonnerie des cloches, le chant infatigable des hommes qui habitaient là. Ce fut pourquoi, avant d'aborder, Pantagruel fut d'avis que nous descendissions avec notre esquif vers un petit rocher auprès duquel nous apercevions un ermitage dans un petit jardinet. Là, nous trouvâmes un petit bonhomme ermite nommé Braguibus, lequel nous expliqua les raisons de la sonnerie et nous régala d'une étrange façon. Il nous fit jeûner quatre jours consécutifs, affirmant qu'autrement nous ne serions pas reçus sur l'île Sonnante, parce que, à cette période, c'était le jeûne des quatre-temps[1].

– Je ne comprends point cette énigme, dit Panurge. Ce serait plutôt l'époque des quatre vents car, en jeûnant, nous ne sommes farcis que de vent. Bien, jeûnons, de par Dieu, mais j'ai si longtemps jeûné que les jeûnes m'ont sapé toute la chair.

Notre jeûne fut terrible et bien épouvantable car le premier jour, nous jeûnâmes à bâtons rompus, le second à épées rabattues, le troisième à fer émoulu, le quatrième à feu et à sang. Telle était l'ordonnance des fées.

Comment l'île Sonnante avait été habitée par les Siticines[2], lesquels étaient devenus oiseaux

Notre jeûne achevé, l'ermite nous donna une lettre nous recommandant à un homme qu'il nommait maître Aeditue[3], de l'île Sonnante. C'était un petit bonhomme vieux, chauve, à museau bien

1. Périodes de jeûne qui étaient observées quatre fois par an, à chaque saison.

2. Chez les Romains, les siticines étaient des joueurs de flûte qui suivaient les enterrements.

3. « Sacristain », en latin.

enluminé et face cramoisie. Il nous fit très bon accueil sur la recommandation de l'ermite, comprenant que nous avions jeûné comme il a été déclaré, et nous exposa les singularités de l'île, affirmant qu'elle avait autrefois été habitée par les Siticines, mais, par ordre de la nature, comme toutes choses varient, ils étaient devenus oiseaux. Puis il ne nous parla plus que de cages et d'oiseaux.

Les cages étaient grandes, riches, somptueuses, et d'une merveilleuse architecture. Les oiseaux étaient grands, beaux et polis, ressemblant beaucoup aux hommes de ma patrie : ils buvaient et mangeaient comme des hommes, évacuaient comme des hommes, pétaient et dormaient comme des hommes. Bref, à les voir de prime abord, vous eussiez dit des hommes ; toutefois ils ne l'étaient pas, d'après maître Aeditue.

Leur plumage aussi nous mettait en rêverie. Certains l'avaient tout blanc ; d'autres, tout noir ; d'autres, tout gris ; d'autres, mi-blanc mi-noir ; d'autres encore, tout rouge ; d'autres, moitié blanc et bleu. C'était belle chose de les voir.

Les mâles, il les nommait clergaux, monagaux, prêtregaux, abbegaux, évegaux, cardingaux, papegaut, ce dernier étant unique de son espèce.

Les femelles, il les nommait clergesses, monagesses, prêtregesses, abbegesses, évegesses, cardingesses, papegesses.

De même, nous dit-il, que, parmi les abeilles, se trouvent les frelons qui ne font rien, sauf tout manger et tout gâter, depuis trois cents ans, s'étaient abattus toutes les cinq lunes, parmi ces joyeux oiseaux, un grand nombre de cagots[1] qui avaient honni et conchié toute l'île.

Ils étaient si hideux et si monstrueux que tous les fuyaient. Car ils avaient tous le cou tordu, les pattes poilues, les griffes et le ventre des Harpies. Il n'était pas possible de les exterminer : pour un qui mourait, il en arrivait vingt-quatre.

Comment Panurge raconte à maître Aeditue l'apologue du roussin et de l'âne

Aeditue nous mena dans une chambre bien garnie, bien tapissée et toute dorée. Là, il nous fit apporter des myrobolans, du gingembre vert confit, force hypocras et vin délicieux. Il fit aussi porter des vivres en abondance à nos navires qui restaient au port. Ainsi nous reposâmes-nous cette nuit-là, mais je ne pouvais dormir à cause du sempiternel brimbalement des cloches.

Au soir, Panurge dit à Aeditue :

1. Faux dévots.

– Seigneur, ne vous déplaise si je vous raconte une histoire joyeuse qui arriva dans le pays du Châtelleraudais il y a vingt-trois lunes. Le palefrenier d'un gentilhomme, au mois d'avril, promenait un matin ses chevaux. Il rencontra une bergère rieuse, laquelle gardait un âne et quelques chèvres. Devisant avec elle, il la persuada de monter en croupe derrière lui et de visiter son écurie. Durant leur conversation, le cheval s'adressa à l'âne et lui dit à l'oreille, car les bêtes parlèrent cette année-là : « Pauvre et chétif baudet, j'ai pitié de toi. Tu travailles beaucoup chaque jour, je le vois à l'usure de ta croupière : c'est bien fait, puisque Dieu t'a créé pour le service des humains. Mais n'être pas plus étrillé et alimenté que je te vois, cela me semble un peu tyrannique. Tu es tout hérissonné et tu ne manges ici que joncs, épines et durs chardons. C'est pourquoi je t'invite, baudet, à venir avec moi voir comment nous autres, que la nature a produits pour la guerre, nous sommes traités et nourris. – Vraiment, répondit l'âne, j'irai bien volontiers, monsieur le cheval. » Une fois la bergère montée, l'âne suivit le cheval, fermement décidé à bien se repaître en arrivant au logis. Le palefrenier l'aperçut et commanda aux garçons d'étable de le chasser à coups de fourche. L'âne, entendant cela, commença à décamper du lieu, pensant en lui-même :

« Il dit bien : ce n'est pas mon état de suivre les cours des gros seigneurs. La nature ne m'a produit que pour l'aide des pauvres gens. » Et l'âne s'enfuit

Au trot, à pets, à bonds, à ruades,
Au galop, à pétarades[1].

« La bergère, voyant l'âne déloger, dit au palefrenier qu'il était le sien et le pria qu'il fût bien traité, sinon elle voulait partir. Alors le palefrenier commanda que l'âne eût tout son soûl d'avoine. Le pire fut de le faire revenir, car les garçons avaient beau l'appeler : "Truunc, truunc, baudet, viens là ! – Impossible, disait l'âne, je suis honteux." Ils y seraient encore, si la bergère ne leur avait conseillé de cribler l'avoine en l'appelant. Ce qui fut fait. Soudain, l'âne se rendit à eux. Quand il fut revenu, on le mena dans l'étable près du grand cheval ; il fut frotté, torchonné, étrillé, et eut une litière fraîche jusqu'au ventre, un plein râtelier de foin, une pleine mangeoire d'avoine.

« Quand ils eurent bien mangé, le cheval interrogea l'âne : "Eh bien, pauvre baudet ? Qu'en dis-tu ? – C'est un plaisir, monsieur le roussin, répondit l'âne. Mais quoi, ce n'est que demichère : ne roussinez-vous[2] point ici, messieurs les

1. Vers de Clément Marot.
2. Roussiner : faire le roussin, c'est-à-dire saillir.

roussins ? – Parle bas, baudet, dit le cheval, car si les garçons t'entendent, à grands coups de fourche ils te battront si dru qu'il ne te prendra plus l'envie de roussiner. – Par le bât que je porte, dit l'âne, je dis fi de ta litière, fi de ton foin et fi de ton avoine : vive les chardons des champs puisqu'à plaisir on y roussine. Manger moins et toujours roussiner son coup, telle est ma devise : voilà de quoi nous autres faisons foin et pitance." Telles furent leurs paroles. »

Ensuite Panurge se tut. Pantagruel lui demandait de conclure son histoire, mais Aedituе répondit :

– À bon entendeur il ne faut qu'une parole. J'entends très bien ce que, par cet apologue de l'âne et du cheval, vous voudriez dire, mais vous devriez avoir honte. Sachez qu'ici il n'y a rien pour vous. N'en parlez plus.

Le troisième jour, après boire (vous vous en doutez), Aeditue nous donna congé. Il envoya à nos navires le renouvellement de toutes nos provisions, nous souhaita bon voyage et nous fit promettre que notre retour se ferait par son territoire.

Comment nous passâmes le guichet[1] habité par Grippeminaud, archiduc des Chats fourrés[2]

Nous passâmes Condamnation, qui est une île toute déserte. Nous passâmes aussi le guichet, où Pantagruel ne voulut point descendre, et il fit bien, car nous y fûmes faits prisonniers par le commandement de Grippeminaud, archiduc des Chats fourrés.

Les Chats fourrés sont des bestioles très horribles et épouvantables : ils mangent les petits enfants et paissent sur des pierres de marbre. Ils ont le poil de la peau non pas sorti au-dehors, mais caché au-dedans, et ils portent chacun comme symbole une gibecière ouverte, mais pas tous de la même manière : certains la portent attachée au cou en écharpe ; d'autres sur le cul, d'autres sur la bedaine, d'autres sur le côté, tout cela par une raison mystérieuse. Ils ont aussi les griffes si fortes, longues et acérées que rien ne leur échappe, une fois qu'ils l'ont mis entre leurs serres.

Quand nous entrâmes dans leur tapinaudière, un gueux nous dit :

1. Il s'agit du guichet de la Conciergerie, où l'on tenait le livre d'écrou et où l'on procédait à la « toilette » des condamnés.

2. Les juges, ainsi dénommés par Rabelais à cause de leurs robes fourrées d'hermine.

– Si vous vivez encore six olympiades et l'âge de deux chiens, vous verrez ces Chats fourrés seigneurs de toute l'Europe. Ils grippent tout, dévorent tout, conchient tout. Ils brûlent, écartèlent, décapitent, meurtrissent, emprisonnent, ruinent et minent tout, sans distinction de bien et de mal. Car, chez eux, le vice est appelé vertu, la méchanceté est surnommée bonté ; la trahison a nom loyauté ; pillerie est leur devise et, faite par eux, elle est trouvée bonne de tous les humains.

– Qu'est-ce là ? dit Panurge. Par Dieu, retournons.

Retournant, nous trouvâmes la porte fermée ; on nous dit que nous ne sortirions en aucune manière sans un billet de décharge. Le pire fut quand nous passâmes le guichet. Car nous fûmes présentés, pour avoir notre bulletin de décharge, devant le monstre le plus hideux qui fût jamais décrit.

On le nommait Grippeminaud. Je ne saurais mieux vous le comparer qu'à la Chimère, au Sphinx ou à Cerbère, ou bien à la représentation d'Osiris ainsi que le figuraient les Égyptiens : il avait trois têtes jointes ensemble, l'une d'un lion rugissant, la deuxième d'un chien reniflant, la troisième d'un loup hurlant, le tout entortillé d'un dragon se mordant la queue. Il avait les mains pleines de sang, les griffes comme celles des Harpies, le museau à bec de corbeau, les dents d'un sanglier de quatre ans, les yeux flamboyants comme une gueule de l'enfer. Quand nous fûmes présentés devant lui, je ne sais quelles sortes de gens, tous vêtus de gibecières et de sacs sur lesquels étaient de grands lambeaux d'écriture, nous firent asseoir sur une sellette.

Panurge disait :

– Je ne suis que trop bien ainsi, debout.

– Asseyez-vous là, répondirent-ils, et qu'on ne vous le dise plus. La terre s'ouvrira, pour tout vifs vous engloutir si vous manquez à bien répondre.

Comment, par Grippeminaud, nous fut proposée une énigme

Quand nous fûmes assis, Grippeminaud, au milieu de ses Chats fourrés, nous dit des paroles furieuses :

– Or çà, or çà, or çà.

« Une bien jeune et toute blondelette
« Conçut un fils éthiopien sans père,
« Puis l'enfanta sans douleur la tendrette,
« Quoiqu'il sortît comme fait la vipère,
« L'ayant rongée, en bien grande colère,
« D'un flanc entier, pour son impatience.
« Depuis, passa monts et vaux en confiance
« Par l'air volant, sur terre cheminant ;

« Il étonna l'ami de la science,

« Qui l'estimait un humain animant.

« Or çà, réponds-moi à cette énigme, dit Grippeminaud, or çà.

– Or de par Dieu, répondis-je, si j'avais un sphinx en ma maison, or de par Dieu, je pourrais résoudre l'énigme, or de par Dieu. Je suis, or de par Dieu, innocent.

– Or çà, dit Grippeminaud, par le Styx, or çà, puisque tu ne veux rien dire d'autre, or çà, je te montrerai, or çà, qu'il aurait mieux valu pour toi tomber dans les pattes de Lucifer, or çà, et de tous les diables, or çà, qu'entre nos griffes, or çà. Les vois-tu bien ? Or çà, malotru, tu nous allègues ton innocence, comme une chose digne d'échapper à nos tortures, or çà, nos lois sont comme des toiles d'araignées, or çà, les simples moucherons et petits papillons y sont pris, or çà, les gros taons malfaisants les rompent, or çà, et passent à travers, or çà.

Frère Jean, impatienté par les propos de Grippeminaud, lui dit :

– Ho ! monsieur le diable enjuponné, comment veux-tu qu'il réponde quelque chose qu'il ignore ?

– Or çà, dit Grippeminaud, mon règne n'était pas encore advenu, or çà, qu'ici personne ne parlait sans être interrogé d'abord, or çà.

Comment Panurge explique l'énigme de Grippeminaud

Grippeminaud s'adresse à Panurge, en disant :

– Or çà, or çà, or çà, et toi, goguelu[1], ne veux-tu rien dire ?

Panurge répondit :

– Or de par le diable là, je vois clairement que la peste est ici pour nous, vu que l'innocence n'y est point en sûreté, or de par le diable là. Je n'en puis plus, or de par le diable là.

– Allons ! dit Grippeminaud, or çà, tu es bien malheureux, or çà, mais tu le seras plus encore, or çà, si tu ne réponds pas à l'énigme. Or çà, que veut-elle dire, or çà ?

– C'est, or de par le diable là, un charançon noir né d'une fève blanche, or de par le diable là, par le trou qu'il avait fait en la rongeant, or de par le diable là. Et lui, parfois, il vole, parfois, il chemine sur la terre, or de par le diable là. Et il fut étudié par Pythagore, premier amateur de science, or de par le diable là, qui estima qu'il avait reçu une âme humaine par métempsychose, or de par le diable là. Si vous autres étiez des hommes, or de par le diable là, après votre mort, selon son opinion, votre âme entrerait dans un corps de

1. Mauvais plaisant.

charançon, or de par le diable là : car en cette vie vous rongez et mangez tout ; en l'autre vous rongerez et mangerez, comme des vipères, les flancs de vos mères, or de par le diable là.

Panurge, sur ces mots, jeta au milieu du parquet une bourse de cuir pleine d'écus. Au son de la bourse, tous les Chats fourrés commencèrent à jouer des griffes, et tous s'écrièrent à haute voix :

– Ils sont gens de bien.

– C'est de l'or, dit Panurge.

– La cour l'entend, dit Grippeminaud, or bien, or bien, or bien. Allez, enfants, or bien, et passez outre : or bien, nous ne sommes pas tant diables, or bien, or bien, or bien.

Sortant du guichet, nous fûmes conduits au port par certains griffons[1] des montagnes. Avant d'entrer dans nos navires, nous fûmes avertis que nous ne pourrions prendre la route sans avoir fait des présents seigneuriaux tant à dame Grippeminaude qu'à toutes les Chattes fourrées ; autrement, ils avaient pour consigne de nous ramener au guichet.

– Bren, répondit frère Jean, nous fouillerons nos deniers et contenterons tout le monde.

1. Les greffiers.

Comment frère Jean des Entommeures décide de mettre à sac les Chats fourrés

– Vertu de froc, dit frère Jean, quel voyage faisons-nous ? C'est un voyage de foirards. Nous ne faisons que pisser, péter, fienter et rêvasser. Cœur de Dieu, ce n'est pas mon naturel : si je ne fais pas quelque acte héroïque chaque jour, la nuit je ne peux dormir. Mettons à sac ces Chats fourrés : ce sont des diables, et délivrons ce pays de leur tyrannie. Je vous assure que nous les occirons facilement.

– Dieu, dit Panurge, nous a fait la grâce d'échapper à leurs griffes. Moi, je n'y retourne pas. J'y fus grandement fâché pour trois causes : la première, parce que j'étais fâché ; la deuxième, parce que j'étais fâché ; la troisième, parce que j'étais fâché. Chaque fois que tu voudras aller à tous les diables, devant le tribunal de Minos, Éaque et Rhadamanthe, je suis prêt à te suivre, à passer avec toi l'Achéron, le Styx, le Cocyte, à boire à pleins godets l'eau du Léthé, à payer pour nous deux à Charon le passage de sa barque, mais, pour retourner au guichet, prends une autre compagnie que la mienne, je n'y retournerai pas. Ulysse retourna-t-il chercher son épée dans la grotte du Cyclope ? Grands dieux, non : au guichet je n'ai rien oublié, je n'y retournerai pas.

– Oh, dit frère Jean, parlons un peu, docteur subtil : pourquoi leur avoir jeté la bourse pleine d'écus ? En avons-nous trop ?

– Parce que, répondit Panurge, à tout propos Grippeminaud ouvrait sa gibecière de velours en s'exclamant : « Or çà, or çà, or çà ! » De là je fis l'hypothèse que nous pourrions en réchapper, en leur jetant or là, or là, de par Dieu, or là, de par tous les diables là. Car les gibecières de velours sont des réceptacles d'écus, entends-tu, frère Jean, mon petit couillaud ? Quand tu auras été autant rôti que moi, tu parleras un autre latin.

Dès que frère Jean et les autres furent dans le navire, Pantagruel mit les voiles. À environ vingt-deux milles, un furieux tourbillon de vents divers se leva.

Comment nous arrivâmes au royaume de la Quintessence, nommé Entéléchie[1]

Ayant prudemment contourné le tourbillon en l'espace d'un demi-jour, au troisième jour, l'air nous sembla plus serein que de coutume, et nous

1. Du grec *entélès*, « perfection », et *ékhein*, « avoir ». Cette notion d'entéléchie, de parfait accomplissement de l'être, avait été développée par Aristote.

descendîmes au port de Mathéotechnie[1], peu distant du palais de la Quintessence. Descendant au port, nous trouvâmes un grand nombre d'archers et de gens de guerre qui gardaient l'arsenal : dès notre arrivée, ils nous firent presque peur, car ils nous firent à tous laisser nos armes et nous interrogèrent d'un ton rogue :

– Compères, de quel pays venez-vous ?

– Cousins, répondit Panurge, nous sommes tourangeaux. Nous venons de France, désireux de faire la révérence à la dame Quintessence et de visiter ce très célèbre royaume d'Entéléchie.

Ils nous donnèrent l'accolade, nous en fûmes tous réjouis. Puis le capitaine nous mena au palais de la reine en silence et grandes cérémonies.

Dans les premières galeries, nous rencontrâmes une grande foule de malades, installés diversement selon la diversité des maladies : les lépreux à part, les empoisonnés en un lieu, les pestiférés ailleurs, les vérolés au premier rang.

1. Le port de la « vaine science ».

Comment la Quintessence guérissait les malades par des chansons

Dans la seconde galerie, le capitaine nous montra la dame, jeune – et pourtant elle avait au moins dix-huit cents ans[1] –, belle, délicate, vêtue luxueusement, au milieu de ses demoiselles et de gentilshommes.

Le capitaine nous dit :

– Ce n'est pas le moment de lui parler, soyez seulement spectateurs attentifs de ce qu'elle fait. Notre reine guérit toutes les maladies sans y toucher, seulement en jouant une chanson selon la nature du mal.

Puis il nous montra les orgues, dont elle jouait pour faire ses admirables guérisons. Les lépreux furent introduits : elle leur joua une chanson, je ne sais laquelle ; ils furent soudain parfaitement guéris, puis les aveugles, les sourds, les muets, de même. Ce qui nous épouvanta, et non à tort : nous tombâmes à terre, nous prosternant, et sans pouvoir dire un mot.

Ainsi restions-nous à terre, quand elle, touchant Pantagruel d'un beau bouquet de roses blanches qu'elle tenait en main, nous rendit le sens et nous fit tenir debout.

1. L'âge de la philosophie d'Aristote, à l'époque de Rabelais.

Puis elle nous dit, en paroles de soie :

– L'honnêteté scintillante que je vois en la circonférence de vos personnes me donne un jugement certain de la vertu latente au centre de vos esprits. Et voyant la suavité melliflue de vos discrètes révérences, facilement je me persuade que votre cœur ne pâtit d'aucun vice, d'aucune stérilité de savoir libéral et hautain, mais abonde en plusieurs pérégrines et rares disciplines.

– Je ne suis point savant, me disait secrètement Panurge. Répondez si vous voulez.

Toutefois je ne répondis pas, Pantagruel non plus : nous demeurions silencieux.

La reine dit alors :

– À votre taciturnité, je reconnais que vous êtes issus de l'école pythagoricienne. À l'école de Pythagore, la taciturnité était symbole de connaissance.

Ces propos achevés, elle s'adressa à ses officiers et leur dit seulement :

– Tabachins[1], à panacée.

Sur ce mot, les tabachins nous dirent de tenir la reine pour excusée, si nous ne dînions pas avec elle, car à son dîner elle ne mangeait rien que quelques catégories, abstractions, secondes intentions, antithèses, métempsychoses et prolepses transcendantes.

1. « Cuisiniers », en hébreu.

Ils nous menèrent ensuite dans un petit cabinet; et là nous fûmes traités Dieu seul sait comment.

Par ma foi, buveurs mes amis, on ne saurait décrire les bonnes viandes qu'on nous servit, les entremets et bonne chère qu'on nous fit. Et Pantagruel me disait que, selon son imagination, la dame, en disant à ses tabachins « À panacée », leur donnait le mot symbolique entre eux de chère souveraine.

Puis, descendant au port de Mathéotechnie, nous entrâmes dans nos navires, apprenant que nous avions le vent en poupe.

Comment nous descendîmes en l'île d'Odes[1] sur laquelle les chemins cheminent

Après avoir navigué deux jours, s'offrit à notre vue l'île d'Odes, sur laquelle nous vîmes une chose mémorable. Les chemins y sont des animaux, ils cheminent comme les animaux; les uns sont des chemins errants, à la ressemblance des planètes, les autres des chemins passants, chemins croisants, chemins traversants. Je vis que les voyageurs et les habitants du pays demandaient: « Où

1. Du grec *odos*, « chemin », « route ».

va ce chemin-ci ? et celui-là ? » On leur répondait : « Entre Midi et Févrolles, à la paroisse, à la ville, à la rivière. » Puis, prenant le chemin opportun, sans autrement se fatiguer, ils se retrouvaient à destination.

Mais comme vous savez qu'en toute chose il y a des défauts, et que rien n'est parfaitement heureux nulle part, il nous fut dit que là, il y avait une sorte de gens qu'ils appelaient guetteurs de chemins et batteurs de pavés. Et les pauvres chemins les craignaient et s'éloignaient d'eux comme de brigands.

Ils les guettaient au passage, comme on le fait des loups à la traînée et des bécasses au filet. Je vis l'un d'eux être appréhendé par la justice pour avoir pris injustement le chemin de l'école, qui était le plus long.

J'y reconnus le grand chemin de Bourges et le vis marcher à pas d'abbé, et le vis aussi fuir à la venue de quelques charretiers qui menaçaient de le fouler avec les pieds de leurs chevaux et de lui faire passer les charrettes sur le ventre. J'y reconnus pareillement le vieux chemin de Péronne à Saint-Quentin, qui me sembla un chemin bien de sa personne.

Retournant à nos navires, nous vîmes que, près du rivage, on mettait sur la roue trois guetteurs de chemins qui avaient été pris en embuscade.

Comment nous visitâmes le pays de Satin

Nous naviguâmes deux jours. Au troisième, notre pilote découvrit une île plus belle et plus délicieuse que toutes les autres, sur laquelle était le pays de Satin, si renommé parmi les pages de la cour. Les arbres et les herbes n'y perdaient jamais ni fleurs ni feuilles, et ils étaient en damas et en velours brodé. Les bêtes et les oiseaux étaient en tapisserie.

Là, nous vîmes plusieurs bêtes, oiseaux et arbres, tels que nous les avons chez nous, excepté qu'ils ne mangeaient rien, ne chantaient point et ne mordaient pas non plus comme les nôtres. Nous y vîmes aussi plusieurs espèces que nous n'avions jamais vues : entre autres, divers éléphants dans diverses attitudes, des éléphants savants, musiciens, philosophes, danseurs, baladins.

J'y vis trente-deux unicornes : c'est une bête félonne, en tout semblable à un beau cheval, excepté qu'elle a la tête comme un cerf, les pieds comme un éléphant, la queue comme un sanglier, et au front une corne aiguë, noire et longue de six ou sept pieds, qui lui pend ordinairement comme la crête d'un coq d'Inde ; mais quand elle veut combattre ou autrement s'en servir, elle la dresse, raide et droite.

J'y vis la Toison d'or, conquise par Jason. J'y vis un caméléon, tel que le décrit Aristote. J'y vis trois hydres. Ce sont des serpents, qui ont chacun sept têtes. J'y vis quatorze Phénix, la peau de l'âne d'or d'Apulée. J'y vis trois cent neuf pélicans, des caprimulges, des stymphalides, des harpies, panthères, cynocéphales, satyres, cercopithèques, bisons, stryges, gryphes, loups-garous, centaures, tigres, léopards, hyènes[1].

J'y vis des sphinges, des éales, qui sont grands comme des hippopotames, avec une queue d'éléphant, des mandibules de sanglier et des cornes mobiles comme des oreilles d'âne. J'y vis des bêtes à deux dos, qui me semblaient étonnamment joyeuses et qui remuaient sans cesse leur croupion.

1. Les caprimulges sont des oiseaux fabuleux, dont Pline dit qu'ils tètent le lait des chèvres et les laissent aveugles ; les stymphalides, des volatiles si gros qu'ils étaient censés éclipser le soleil ; les cynocéphales, eux aussi sortis du bestiaire de l'*Histoire naturelle* de Pline, sont des hommes à tête de chien ; les cercopithèques des singes (réels) ; les stryges, des vampires mi-femmes mi-chiennes ; les gryphes ont un corps de lion, avec la tête et les ailes d'un aigle.

Comment, au pays de Satin, nous vîmes Ouï-Dire, qui tenait école de témoignerie

Avançant un peu dans ce pays de tapisserie, nous vîmes la mer Méditerranée ouverte et découverte jusqu'aux abîmes, tout comme au gouffre d'Arabie s'ouvrit la mer Rouge pour faire un chemin aux Juifs sortant d'Égypte : là, je reconnus Triton sonnant sa grosse conche, Glaucos, Protée, Nérée, et mille autres dieux et monstres marins. Nous vîmes aussi un nombre infini de poissons de diverses espèces, dansant, volant, voltigeant, combattant, mangeant, respirant, chassant, marchandant, jouant, s'ébattant. Dans un coin, tout à côté, nous vîmes Aristote qui tenait une lanterne, épiant, considérant et rédigeant tout par écrit.

Après avoir longuement considéré ce pays de Satin, Pantagruel dit :

– J'ai longuement repu mes yeux, mais c'est mon estomac qui brait de faim.

– Mangeons, mangeons, dis-je.

Je pris donc quelques myrobolans qui pendaient à un bout de tapisserie, mais je ne pus les mâcher, ni les avaler. Si vous les aviez goûtés, vous auriez juré de la soie tordue. Ils n'avaient aucune saveur. Cherchant donc par ledit pays si nous trouverions un peu de viande, nous entendîmes un bruit strident et divers. Sans plus attendre, nous nous transportâmes au lieu d'où il venait et vîmes un petit vieillard bossu, contrefait et monstrueux. On le nommait *Ouï-Dire*. Il avait la gueule fendue jusqu'aux oreilles, et dans la gueule sept langues, chaque langue fendue en sept parties. Sur n'importe quel sujet, des sept langues ensemble, il tenait divers propos, parlait plusieurs langues. Il avait aussi sur la tête et le reste du corps autant d'oreilles que jadis Argus eut d'yeux. Pour le reste, il était aveugle et paralysé des jambes.

Autour de lui, je vis un nombre incalculable d'hommes et de femmes attentifs. Ils devenaient savants en peu d'heures et parlaient de choses prodigieuses avec élégance : des pyramides, du Nil, de Babylone, des troglodytes, des Pygmées, des cannibales, de tous les diables, et tout par *Ouï-Dire.*

Là, je vis, il me semble, Hérodote, Pline, Philostrate, Strabon, et tant d'autres hommes de l'Antiquité, plus le pape Pie II, Jacques Cartier, et je ne sais combien d'historiens modernes cachés derrière un pan de tapisserie, qui écrivaient en tapinois de beaux ouvrages, et tout par *Ouï-Dire.*

Derrière une pièce de velours brodé de feuilles de menthe, près de *Ouï-dire*, je vis un grand nombre d'étudiants, assez jeunes ; et en demandant ce qu'ils étudiaient, on nous répondit qu'ils apprenaient là à être témoins et réussissaient si bien dans cet art que, retournés dans leurs provinces, ils vivaient honnêtement du métier de témoignerie, rendant de sûrs témoignages sur toutes choses aux plus offrants, et tout par *Ouï-Dire*.

Comment nous fut découvert le pays de Lanternois et comment nous y entrâmes

Mal traités et mal repus au pays de Satin, nous naviguâmes trois jours : au quatrième, de bonne heure, nous approchâmes de Lanternois. En approchant, nous voyons sur la mer certains feux volants. Le pilote nous avertit que c'étaient des Lanternes de guet, qui faisaient escorte à quelques Lanternes étrangères.

Sur l'instant, nous entrâmes au port de Lanternois. Là, sur une haute tour, Pantagruel reconnut la Lanterne de La Rochelle, laquelle nous fit bonne clarté.

De ce lieu jusqu'au palais, nous fûmes conduits par trois obéliscolychnies[1], gardes militaires du Havre à hauts bonnets, auxquels nous exposâmes les causes de notre voyage et notre résolution d'obtenir de la reine de Lanternois une Lanterne

1. Sortes de phares.

pour nous éclairer et conduire vers l'oracle de la Bouteille.

Arrivant au palais royal, nous fûmes présentés à la reine par deux Lanternes d'honneur ; Panurge, en langage lanternois, lui exposa brièvement les causes de notre voyage. Nous en eûmes bon accueil, et elle nous invita à assister à son souper, pour choisir plus facilement la Lanterne que nous voudrions comme guide.

L'heure du souper venue, la reine s'assit en premier, puis les autres, selon leurs rang et dignité. En entrée, toutes furent servies de grosses chandelles, excepté la reine qui fut servie d'un gros et raide flambeau flamboyant de cire blanche, un peu rouge au bout.

Après souper, nous nous retirâmes pour nous reposer. Le lendemain matin, la reine nous fit choisir une Lanterne pour nous conduire, une Lanterne des plus insignes. Et c'est ainsi que nous prîmes congé.

Comment nous arrivâmes à l'oracle de la Bouteille

Notre noble Lanterne nous éclairant et conduisant en toute joyeuseté, nous arrivâmes en l'île désirée, sur laquelle se trouvait l'oracle de la Bouteille. Panurge descendit à terre, fit la gambade sur un pied, gaillardement, et dit à Pantagruel :

– Aujourd'hui, nous avons ce que nous cherchions avec tant de fatigues et labeurs.

Puis il se recommanda courtoisement à notre Lanterne.

En approchant du temple de la Dive Bouteille, il nous fallait passer au milieu d'un grand vignoble fait de toutes espèces de vignes, comme Muscadet, Beaune, Orléans, Arbois, Anjou, Nérac et autres. Ledit vignoble fut jadis planté par le bon Bacchus avec un tel bonheur que tout le temps il portait feuilles, fleurs et fruits. Notre Lanterne magnifique nous commanda de manger trois raisins par homme, de mettre du pampre dans nos souliers et de prendre une branche verte dans la main gauche.

Cette vigne finissait par une belle et ample tonnelle, toute faite de ceps de vigne, ornés de raisins de cinq cents couleurs et formes diverses : jaunes, bleus, tannés, azurés, blancs, noirs, verts, violets, longs, ronds, couronnés, barbus, herbus. Cette tonnelle était close par trois lierres antiques, bien verdoyants. Là, notre illustrissime Lanterne nous commanda de nous faire chacun un chapeau de ce lierre et de nous en couvrir toute la tête. Ce qui fut fait sans tarder. Notre Lanterne nous dit :

– Vous ne seriez reçus de la Dive Bouteille sans être passés là-dessous, et sans que Bacbuc vît vos souliers pleins de pampre.

Comment nous descendîmes sous terre pour entrer au temple de la Bouteille

Ainsi, nous descendîmes sous terre par un arceau peint d'une danse de femmes et de satyres. Alors que nous tenions de menus propos, le grand Flacon, gouverneur de la Dive Bouteille, sortit, accompagné de la garde du temple, qui étaient tous des bouteillons français. Nous voyant couronnés de lierre et reconnaissant aussi notre insigne Lanterne, il nous fit entrer et commanda qu'on nous menât droit à la princesse Bacbuc, dame d'honneur de la Bouteille et pontife de tous les mystères. Ce qui fut fait.

Comment nous descendîmes les degrés, et de la peur qu'eut Panurge

De là, nous descendîmes sous terre par un escalier de marbre, et nous eûmes bien besoin premièrement de nos jambes, sans lesquelles nous ne serions descendus qu'en roulant, comme des tonneaux en cave, et deuxièmement, de notre éclairante Lanterne, car dans cette descente ne nous apparaissait aucune lumière. Après avoir descendu environ soixante-dix-huit escaliers, Panurge s'écria, s'adressant à notre luisante Lanterne :

– Dame mirifique, je vous en prie, retournons en arrière. Par la mort bœuf, je meurs de peur. Je veux bien ne jamais me marier. Vous avez pris beaucoup de peine et de fatigue pour moi, Dieu vous le rendra ; je n'en serai pas ingrat en sortant de cette caverne de troglodytes. Retournons, de grâce. Je crains fort que ne soit ici le Ténare, par lequel on descend en Enfer, et il me semble entendre Cerbère qui aboie. Es-tu là, frère Jean ? Je t'en prie, mon bedon, tiens-toi près de moi, je meurs de peur. As-tu ton épée ?

– Je suis là, dit frère Jean, je suis là, n'aie pas peur.

Ici, le propos fut interrompu par notre splendide Lanterne, qui nous dit de manière péremptoire que nous n'avions aucun espoir de retourner sans avoir le mot de la Bouteille, puisque nous avions garni nos souliers de pampre.

– Passons donc, dit Panurge, et donnons de la tête à travers tous les diables. Boutons, boutons, passons, poussons, pissons. Je m'appelle Guillaume sans Peur.

Comment les portes du temple s'entrouvrirent admirablement d'elles-mêmes

À la fin des escaliers, nous rencontrâmes un portail de jaspe en face duquel était écrite cette sentence en lettres ioniennes d'or très pur : « *En oinô alêthéia* », c'est-à-dire, « Dans le vin, la vérité ». Les deux portes étaient d'airain, massives, et y pendait seulement un diamant des Indes, enchâssé d'or, de forme hexagonale. Là, notre noble Lanterne nous demanda de l'excuser : elle n'irait pas plus loin. Nous n'avions qu'à obéir aux instructions de la pontife Bacbuc, car il ne lui était pas permis d'entrer, pour certaines raisons qu'il valait mieux taire à des mortels. Puis elle tira le diamant. Soudain, les deux portes s'ouvrirent sans que personne y touchât.

Comment le pavé du temple était fait d'emblèmes admirables

Je jetai mes yeux à la contemplation du magnifique temple et considérai l'incroyable facture du pavé : c'était une mosaïque de petits carreaux, tous de pierres fines et polies, l'une de jaspe rouge, l'autre de porphyre, l'autre d'agate, l'autre de calcédoine très chère, l'autre de jaspe vert, veiné de rouge et de jaune, et ils étaient répartis en lignes diagonales.

Puis je jetai mes yeux à contempler la voûte du temple avec ses parois, lesquelles étaient toutes incrustées de marbre et de porphyre, en ouvrage mosaïque représentant la bataille que le bon Bacchus gagna contre les Indiens.

Comment, en l'ouvrage mosaïque du temple, était représentée la bataille que Bacchus gagna contre les Indiens

Au commencement, figuraient des villes, villages, châteaux, forteresses, champs et forêts, le tout en feu. Étaient aussi représentées des femmes diverses, forcenées et dissolues, qui mettaient furieusement en pièces veaux, moutons et brebis tout vivants, et se nourrissaient de leur chair. Là, on nous montrait Bacchus entrant en Inde et mettant tout à feu et à sang.

Mais il fut tant méprisé des Indiens, qu'ils ne daignèrent aller à sa rencontre, puisque leurs espions les avaient avertis que, dans son armée, il n'y avait pas de gens de guerre, mais seulement un petit bonhomme vieux, efféminé, toujours ivre, accompagné de jeunes gens tout nus, toujours dansant et sautant, ayant queues et cornes comme les jeunes chevreaux, et d'un grand nombre de femmes ivres. Ils résolurent donc de les laisser passer, sans leur résister par les armes, comme si être victorieux de telles gens était une honte, non une gloire, un déshonneur et une ignominie, et non un honneur et une prouesse.

Dans ce mépris, Bacchus gagnait du terrain et mettait le feu partout.

Ensuite, était figurée sur les susdits emblèmes la marche de Bacchus : il était sur un char magnifique, tiré par trois couples de jeunes léopards. Sa figure était celle d'un jeune enfant, pour signifier que les bons buveurs jamais ne vieillissent, rouge comme un chérubin, sans un poil de barbe au menton. Sur la tête, il portait des cornes ; au-dessus d'elles, une belle couronne de pampres et de raisins, et il était chaussé de brodequins dorés.

Il n'avait pas un seul homme en sa compagnie. Toute sa garde, toutes ses forces étaient composées de ménades et de bacchantes, femmes forcenées, furieuses, enragées, ceintes de dragons et de serpents vivants, vêtues de peaux de cerfs et de chèvres, portant en main de petites haches, des hallebardes et des petits boucliers qui résonnaient bruyamment quand on y touchait, et dont elles se servaient, comme de tambourins. Le nombre de ces femmes était de soixante-dix-neuf mille deux cent vingt-sept.

L'avant-garde était menée par Silène, homme en qui il avait une confiance totale. C'était un petit vieillard tremblant, courbé, gras, ventru, avec les oreilles grandes et droites, le nez pointu et aquilin, les sourcils drus. Il était monté sur un âne couillard ; dans son poing, il tenait un bâton, pour s'y appuyer et aussi pour combattre. Et il était vêtu d'une robe jaune de femme. Sa compagnie était faite de jeunes gens champêtres, cornus comme des chevreaux, cruels comme des lions, tout nus, toujours chantant et dansant : on les appelait tityres[1] et satyres. Leur nombre était de quatre-vingt-cinq mille six cent vingt et treize.

Pan menait l'arrière-garde, homme horrifique et monstrueux. Car, pour les parties inférieures du corps, il ressemblait à un bouc ; il avait les cuisses velues et portait sur la tête des cornes dressées

1. Du nom d'un berger dans les *Bucoliques* de Virgile.

vers le ciel. Il avait le visage rouge et enflammé, et la barbe très longue. Dans sa main gauche, il tenait une flûte, dans la droite, un bâton courbé. Ses troupes étaient semblablement composées de satyres, faunes, lémures, lares, farfadets et lutins, au nombre de soixante-dix-huit mille cent quatorze. Leur cri de ralliement à tous était ce mot : « Évohé[1]. »

Comme nous considérions, en extase, ce temple mirifique, la vénérable pontife Bacbuc vint à notre rencontre, avec sa compagnie joyeuse et riante.

Comment Bacbuc accoutra Panurge pour avoir le mot de la Bouteille

Bacbuc demanda :

– Quel est celui d'entre vous qui veut avoir le mot de la Dive Bouteille ?

– Moi, dit Panurge, votre humble petit entonnoir.

– Mon ami, dit-elle, je n'ai à vous faire qu'une recommandation : en approchant de l'oracle, ayez soin de n'écouter le mot que d'une oreille.

Puis elle le revêtit d'une cape, l'encapuchonna d'un beau et blanc béguin, l'engantela de deux

1. Le cri des bacchantes dans la mythologie grecque.

braguettes antiques, le ceignit de trois cornemuses liées ensemble, lui baigna la figure trois fois dans une fontaine, enfin lui jeta au visage une poignée de farine, le fit cheminer neuf fois autour d'une fontaine, lui fit faire trois beaux petits sauts, lui fit donner sept fois du cul contre la terre, toujours en répétant je ne sais quelles conjurations en langue étrusque et quelquefois en lisant dans un livre rituel.

Panurge ainsi accoutré, elle le sépara de notre compagnie et le mena à droite par une porte d'or, en dehors du temple, dans une chapelle ronde. Au milieu de celle-ci était une fontaine d'albâtre, heptagonale, pleine d'eau claire, au milieu de laquelle était posée la Bouteille sacrée, toute revêtue de pur cristal.

Comment la pontife Bacbuc présenta Panurge devant ladite Bouteille

Là, Bacbuc fit se baisser Panurge et baiser la margelle de la fontaine, puis elle le fit se lever et danser tout autour. Cela fait, elle lui commanda de s'asseoir le cul par terre. Puis elle déploya son livre rituel et, lui soufflant dans l'oreille gauche, lui fit chanter un chant bachique :

Ô Bouteille
Pleine toute
De mystères
D'une oreille
Je t'écoute :
Ne diffère,
Et le mot profère
Auquel pend mon cœur.
En la tant divine liqueur,
Qui est dedans tes flancs reclose,
Bacchus, qui fut d'Inde vainqueur,
Tient toute vérité enclose.
Vin tant divin, loin de toi est forclos
Tout mensonge et toute tromperie.
Sonne le beau mot, je t'en prie,
Qui me doit ôter de misère.
Ô bouteille
Pleine toute
De mystères.

Cette chanson achevée, Bacbuc jeta je ne sais quoi dans la fontaine, et soudain l'eau commença à bouillir avec force. Panurge écoutait d'une oreille, en silence : Bacbuc se tenait agenouillée près de lui, quand de la Bouteille sacrée sortit un bruit semblable à une forte pluie d'été tombant soudainement. Lors on entendit ce mot : « Trinc. »

– Elle est rompue ou fêlée, s'écria Panurge :

c'est ainsi que parlent les bouteilles cristallines de nos pays, quand elles éclatent près du feu.

Alors Bacbuc se leva, prit doucettement Panurge par le bras, et lui dit :

– Ami, rendez grâces aux cieux : vous avez eu promptement le mot de la Dive Bouteille ; le mot le plus joyeux, le plus divin, le plus certain que j'aie jamais entendu d'elle depuis que je sers son oracle très sacré. Levez-vous, allons au chapitre, dans lequel se trouve l'interprétation du beau mot.

– Allons, dit Panurge, de par Dieu. Où est ce livre ? Où est ce chapitre ? Voyons cette joyeuse interprétation.

Comment Bacbuc interprète le mot de la Bouteille

Bacbuc mena Panurge au temple, et là, tirant un gros livre d'argent, le plongea dans la fontaine, et lui dit :

– Les philosophes, prêcheurs et docteurs de votre monde vous nourrissent de belles paroles par les oreilles. Ici, nous incorporons réellement nos préceptes par la bouche. Je ne vous dis donc pas : « Lisez ce chapitre, entendez cette interprétation », mais : « Goûtez ce chapitre, avalez cette belle interprétation.» Jadis un antique prophète de la nation judaïque mangea un livre et fut savant jusqu'aux dents[1]. Vous, vous en boirez un et serez savant jusqu'au foie. Tenez, ouvrez les mandibules.

Panurge ayant la gueule ouverte, Bacbuc prit le livre d'argent, et nous pensions que c'était véritablement un livre, à cause de sa forme qui ressemblait à un bréviaire, mais c'était un flacon plein de vin de Falerne, qu'elle fit tout avaler à Panurge.

– Voici, dit Panurge, un notable chapitre et une interprétation fort authentique : est-ce tout ce que voulait dire le mot de la Bouteille ?

– Rien de plus, répondit Bacbuc, car «trinc» est un mot universel, célébré et compris de toutes les nations, qui signifie : «Buvez.» Et ici, maintenons que non pas rire, mais boire est le propre de l'homme. Je ne veux pas dire boire simplement, comme boivent les bêtes ; je dis boire du vin bon et frais. Notez amis que, de vin divin on devient : il n'y a argument plus sûr, ni art divinatoire moins mensonger. Car il a le pouvoir d'emplir l'âme de toute vérité, de tout savoir et de toute philosophie. Si vous avez noté ce qui est inscrit en lettres ioniennes au-dessus de la porte du temple, vous

1. Allusion au prophète Ézéchiel, à qui Dieu dit : «Fils de l'homme, mange ce livre ; puis va, parle à la maison d'Israël.» Ézéchiel, 3, 1.

avez pu comprendre que c'est dans le vin que se cache la vérité. La Dive Bouteille vous y envoie : soyez vous-mêmes les interprètes de votre entreprise.

– On ne peut mieux dire, dit Pantagruel, que ne le fait cette vénérable pontife. « Trinc » donc.

– Trinquons, dit Panurge.

« Trinquons, de par le bon Bacchus,
« Ha, ho, ho, la paternité
« De mon cœur me dit sûrement
« Que je serai non seulement
« Tôt marié dans nos quartiers ;
« Mais aussi que bien volontiers
« Ma femme viendra au combat
« Vénérien : Dieu, quel débat
« J'y prévois ! C'est moi le bon mari,
« Le bon des bons !
« Frère Jean, je te fais
« Serment vrai et intelligible
« Que cet oracle est infaillible.
« Il est sûr, il est fatidique. »

Comment, après avoir pris congé de Bacbuc, ils laissent l'oracle de la Bouteille

Puis Bacbuc nous dit :

– Allez, amis, et une fois dans votre monde, portez témoignage que, sous terre sont les grands trésors. Vous trouverez vos navires bien pourvus de tout ce qui pourra vous être utile et nécessaire pour votre voyage : pendant que vous étiez là, j'en ai fait donner l'ordre. Allez, amis, en gaieté d'esprit, et portez cette lettre à votre roi Gargantua, saluez-le pour nous, ainsi que les princes et officiers de sa noble cour.

Puis elle nous donna des lettres scellées et nous fit sortir par une porte adjacente à la chapelle. Nous passâmes par un pays rempli de tous les délices, plaisant et tempéré, serein et gracieux autant que le pays de Touraine, et nous trouvâmes enfin nos navires au port.

CURRICULUM VITÆ DE RABELAIS

Nom, Prénom : Rabelais, François.

Pseudonyme : Nasier, Alcofribas (l'anagramme de François Rabelais).

Lieu de naissance : la Devinière, propriété familiale située près de Chinon.

Famille : père, Antoine Rabelais, licencié en droit, avocat au siège royal de Chinon, sénéchal de Lerné. Mère née Dusoul. Une sœur, Françoise, et deux frères, Janet et Antoine.

Date de naissance : 1484 ou 1494 ? (les biographes se contredisent sur ce point comme sur beaucoup d'autres…)

DATE DE MORT : 1553 (sans doute en mars).

SIGNALEMENT : érudit, frondeur, buveur.

SITUATION DE FAMILLE : célibataire. Aurait eu trois enfants.

ÉTUDES : entre comme novice, sans doute dans un couvent franciscain près d'Angers, en 1510 ou 1511. Il apprend le latin, la scolastique (philosophie et théologie enseignées au Moyen Âge par l'Université) et le grec (ce qui est interdit par la faculté de Théologie, la Sorbonne), en faisant venir à grands frais des livres d'Italie. En 1524, de franciscain, il devient bénédictin à l'abbaye de Maillezais, grâce à Geoffroy d'Estissac, évêque de Maillezais. Trois ans plus tard, il quitte le monde religieux : il semble qu'il voyage dans les principales villes universitaires de France, où il acquiert un grand nombre de connaissances. En 1530, il se fixe à Montpellier pour y faire des études de médecine.

CARRIÈRE : débute dans la médecine à l'Hôtel-Dieu de Lyon, en 1532. Commence à publier quelques ouvrages, dont *Les Horribles et Épouvantables Faits et Prouesses du très renommé Pantagruel, Roi des Dipsodes, fils du grand géant Gargantua.* Part à Rome en tant que médecin de Jean du Bellay, l'oncle du poète, en 1534. De retour à Lyon la même année, il publie *Gargantua*, condamné par la faculté de Théologie. Il fait un deuxième voyage à Rome, toujours avec le cardinal du Bellay, puis renoue avec sa vie errante. En 1537, il prend ses derniers grades de médecin à Montpellier, où il dissèque le cadavre d'un pendu. Il remanie ses œuvres, qui sont malgré tout condamnées en 1543. Le *Tiers Livre* paraît en 1546 et est, à son tour, condamné. Rabelais s'enfuit à Metz où il exerce la médecine, puis reprend le chemin de Rome en 1548, après avoir confié à son éditeur onze chapitres du *Quart Livre*. L'ensemble, paru en 1552, est aussitôt censuré, et Rabelais, dit-on, jeté en prison. L'année suivante, il abandonne l'état religieux. En 1564, à titre posthume, est publié le *Cinquième Livre*, dû pour certains à des brouillons de Rabelais, pour d'autres à un ou plusieurs imitateurs.

FORTUNE ET RANG SOCIAL : surtout entretenu par ses protecteurs (en particulier Jean du Bellay).

RELATIONS : Guillaume Budé, humaniste, avec qui il entretient une correspondance. Geoffroy d'Estissac, évêque de Maillezais, dont il est le secrétaire en 1524. Le cardinal Jean du Bellay. Étienne Dolet et Mellin de Saint-Gelais, poètes, rencontrés à Lyon en 1532, et surtout Érasme, humaniste auquel il voue une immense admiration.

TABLE

La vie très horrifique du grand Gargantua, père de Pantagruel
Livre plein de Pantagruélisme

Pantagruel, roi des Dipsodes, restitué à son naturel avec ses faits et prouesses épouvantables

Le tiers livre des faits et dits héroïques du bon Pantagruel

Le quart livre des faits et dits héroïques du bon Pantagruel

Cinquième et dernier livre des faits et dits héroïques du bon Pantagruel